VILLENEUVE

Ma première saison en Formule 1

VILLENEUVE

Ma première saison en Formule 1

Jacques Villeneuve
avec la collaboration de Gerald Donaldson

Traduit de l'anglais par Jacques Vaillancourt

LES ÉDITIONS DE
L'HOMME

Données de catalogage avant publication (Canada)
Villeneuve, Jacques
 Ma première saison en Formule 1
 Traduction de: Villeneuve: My First Season in Formula 1
 1. Villeneuve, Jacques. 2. Formules 1 (Automobiles). 3. Grand Prix (Courses).
 4. Coureurs automobiles – Québec (Province) – Biographies.
 I. Donaldson, Gerald. II. Titre.
GV1032.V55A314 1997   796.7'2'092   C96-941437-4

DISTRIBUTEURS EXCLUSIFS:

• **Pour le Canada et les États-Unis:**
  LES MESSAGERIES ADP*
  955, rue Amherst,
  Montréal (Québec)
  H2L 3K4
  Tél.: (514) 523-1182
  Télécopieur: (514) 939-0406
  * Filiale de Sogides ltée

• **Pour la Belgique et le Luxembourg:**
  PRESSES DE BELGIQUE S.A.
  Boulevard de l'Europe 117
  B-1301 Wavre
  Tél.: (10) 41-59-66
     (10) 41-78-50
  Télécopieur: (10) 41-20-24

• **Pour la Suisse:**
  TRANSAT S.A.
  Route des Jeunes, 4 Ter
  C.P. 125
  1211 Genève 26
  Tél.: (41-22) 342-77-40
  Télécopieur: (41-22) 343-46-46

• **Pour la France et les autres pays:**
  INTER FORUM
  Immeuble Paryseine, 3 Allée de la Seine,
  94854 Ivry Cedex
  Tél.: (1) 49-59-11-89/91
  Télécopieur: (1) 49-59-11-96
  Commandes: Tél.: (16) 38-32-71-00
         Télécopieur: (16) 38-32-71-28

L'ouvrage original anglais a été publié par CollinsWillow,
une division de HarperCollins*Publishers*,
sous le titre *Villeneuve: My First Season in Formula 1*

Dépôt légal: 1er trimestre 1997
Bibliothèque nationale du Québec

ISBN 2-7619-1339-6

TABLE

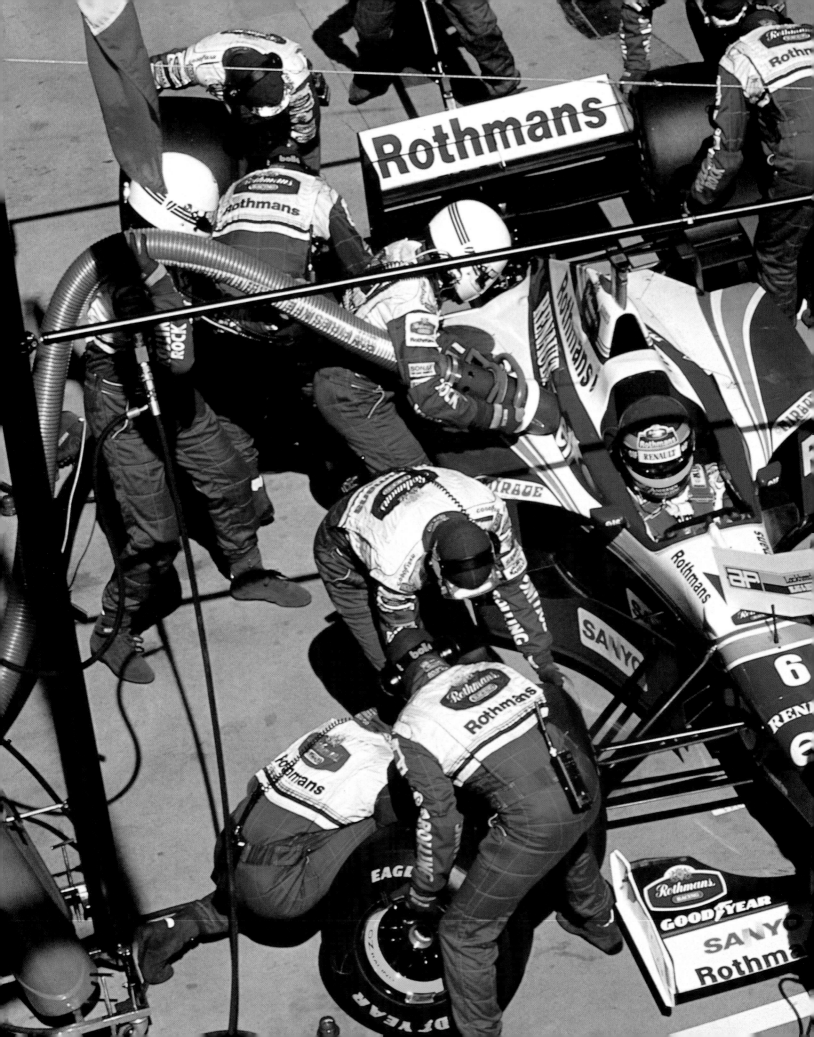

Profession: coureur automobile

«Être le fils de Gilles Villeneuve qu'est-ce que cela représente pour toi?» Voilà l'une des questions que l'on me pose le plus souvent. Je suis avant tout très fier de mon père. Jamais mes succès en Formule 1 ne pourront enlever quoi que ce soit à ses exploits personnels, pas plus qu'ils ne sauront effacer le souvenir que ses admirateurs ont gardé de lui.

À cause de mon père, la course automobile a toujours fait partie de ma vie. À tel point que je considérais comme parfaitement normal de baigner dans un tel environnement. Après son décès tragique, survenu en 1982, j'ai commencé à m'intéresser moi aussi à la vitesse. J'avais à peine 12 ans que déjà je m'enivrais de vitesse en faisant du ski ou du moto-cross et, très vite, j'ai eu envie de piloter des voitures de course. Mais je n'ai pas songé un seul instant à suivre les traces de mon père. Si je fais aujourd'hui ce métier, c'est uniquement pour mon plaisir personnel. J'ai très peu de souvenirs de lui en tant que coureur automobile, même si je sais que son style particulier avait fait de lui l'un des pilotes les plus spectaculaires de son époque. J'étais à ses côtés la plupart des week-ends de course, logeant dans l'une des *motor-homes* installées dans le paddock. Je m'amusais le plus souvent avec mes voitures de course miniatures, sans vraiment m'intéresser à ce qui se passait sur la piste.

En revanche, j'ai gardé de mon père le souvenir d'un homme qui prenait plaisir, en dehors des circuits automobiles, à défier les montagnes au volant de son 4x4, ou à filer à toute allure sur la Méditerranée dans son hors-bord. De même, en hiver, il lançait sa motoneige à toute vitesse dans la nature. Il s'amusait comme un fou, et je suis persuadé qu'il en faisait autant lorsqu'il pilotait sa Ferrari.

Mon agent

Craig Pollock n'est pas seulement un agent efficace, mais également un très bon ami. Nous nous connaissons depuis longtemps. Il a été mon instituteur à l'époque où je fréquentais l'école en Suisse; selon lui, j'étais alors un vrai petit monstre, capable des pires espiègleries. Il lui arrive parfois de penser que je n'ai pas changé, ce qui ne nous empêche pas de bien nous entendre.

La réputation de mon père a certainement contribué au lancement de ma propre carrière, mais j'ai dû, en contrepartie, subir énormément de pression à cause des comparaisons qu'on n'a pas manqué de faire entre lui et moi. La plupart des pilotes demeurent de parfaits inconnus jusqu'au jour où leurs exploits attirent l'attention sur eux. Pas moi. Il m'était impossible de me cantonner dans l'anonymat et de ne pas susciter d'attentes. Mais en m'obligeant à me surpasser, peut-être cette contrainte supplémentaire m'a-t-elle été bénéfique. Comme je n'ai pas connu autre chose, je ne le saurai jamais.

C'est en grande partie la course automobile qui m'a inculqué les grandes leçons de la vie. J'ai ainsi appris que les erreurs sont inévitables, mais qu'il est important d'en tirer un enseignement, non seulement sur la piste de course mais aussi dans la vie de tous les jours. C'est là que se trouve la clé du succès, quel que soit le métier que l'on exerce. On devrait éviter de répéter les mêmes bévues, mais rien ne sert de ressasser le passé, sinon on finit par s'empoisonner l'existence. L'essentiel, c'est d'être heureux. Il est inutile voire ridicule de se rendre malheureux à force de faire des choses que l'on déteste. Quand on a trouvé ce qui fait son bonheur, il importe d'aller dans cette direction.

Il suffit d'ailleurs de peu de choses pour être heureux. Je me réjouis certes de mon succès, mais, essentiellement, le simple fait de rester moi-même et les petites choses de la vie constituent pour moi une source de bonheur inépuisable: être en compagnie de ma tendre amie, par exemple, aller au restaurant, ou jouer aux quilles ou au billard avec les copains. Je suis heureux dans l'action, mais je le suis également dans la détente, quand je lis un bouquin ou quand je joue avec mon ordinateur. J'ai gardé mon cœur d'enfant et je n'ai pas du tout l'intention de changer.

La musique compte beaucoup pour moi. Je possède une imposante collection de disques compacts que j'adore écouter. Je préfère la musique à la télé. Autrefois, je jouais de la trompette; aujourd'hui je joue surtout du piano. J'aime les jolies mélodies. Je n'avais pas l'habitude d'écouter le texte des chansons, mais maintenant que je le fais je les trouve souvent stupides. J'apprécie les paroles qui ont une signification réelle, ainsi que la musique qui prend aux tripes et me met quasiment en transe. Dans ces moments-là, je ferme les yeux, des souvenirs remontent à la surface, je me laisse emporter par mes émotions et je suis transporté dans un autre univers.

Je me suis même mis à composer mes propres chansons, surtout à l'époque où je courais au Japon. J'étais souvent seul, et des idées me venaient à l'esprit avant que je m'endorme. Je les retournais dans ma tête en cherchant des mots pour les exprimer, puis je les couchais sur papier avant de les mettre en musique. Aujourd'hui, je n'ai guère le temps de m'adonner à ce genre d'exercice.

En revanche, je lis beaucoup, en particulier des ouvrages comme *Le seigneur des anneaux* et des œuvres de science-fiction. Je ne suis pas attiré par les livres qui traitent de la vie quotidienne. Je veux m'évader dans l'imaginaire et plonger dans un monde irréel qui ait néanmoins un sens.

Dans le monde réel, la course automobile m'a obligé à voyager beaucoup, mais c'est en Europe, et en particulier à Monaco, que je me sens le plus chez moi. J'avais 6 ans à l'époque où nous y avons déménagé. J'ai passé six ans dans un pensionnat, en Suisse; j'ai vécu et j'ai couru en Italie, au Japon et aux États-Unis. Mais j'aime également retourner au Canada, mon pays natal. Enfant, j'y passais toutes mes vacances d'été. C'est pourquoi, même si je me sens profondément canadien et que je le serai toujours, mon pays natal est un peu associé dans mon esprit à une colonie de vacances. Notre patrimoine québécois était omniprésent chez mes parents, et je crois qu'il est important de ne jamais oublier ses racines.

Je suis demeuré très proche de ma mère et de ma sœur Mélanie. J'ai vraiment de la chance: non seulement nous avons su préserver nos liens familiaux, mais nous sommes les meilleurs amis du monde. L'amitié compte beaucoup pour moi.

Je suis aussi très lié avec ma petite amie, Sandrine Gros d'Aillon. Nos antécédents sont similaires. Originaire de Montréal, elle a vécu dix ans à Monaco, où nous avons fait connaissance. Malheureusement, à cause de mon métier et parce qu'elle fréquente une université montréalaise, nous n'avons pas l'occasion de nous voir aussi souvent que nous le souhaiterions. Mais elle assiste à mes courses chaque fois qu'elle le peut. Je crois important de pouvoir compter sur quelqu'un qui m'apporte son soutien moral, tant dans le domaine de la course automobile que dans la vie en général.

Ma petite amie

Sandrine Gros d'Aillon est une femme sur qui je peux compter. Son soutien m'est précieux, tant dans la vie que sur la piste de course.

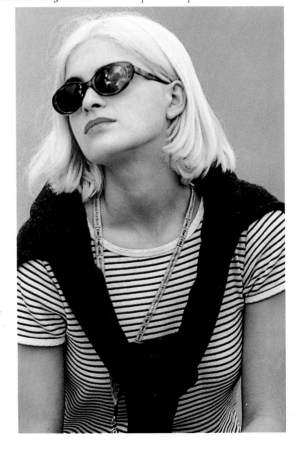

Les dirigeants de l'écurie Williams

L'équipe Williams m'a fait sentir dès le départ que j'étais le bienvenu. Adrian Newey (ingénieur en chef), Frank Williams (directeur général) et Patrick Head (directeur technique) sont des hommes formidables et de vrais passionnés de la course automobile. C'est pour moi un immense plaisir de travailler avec eux.

Comme tout le monde, je préfère de loin les gens sincères et je m'efforce de l'être également. Je trouve odieuse l'idée de se montrer aimable envers des individus que l'on trouve antipathiques dans le seul espoir de tirer d'eux quelque profit personnel. La vie ne se résume pas à brasser des affaires ou à gagner de l'argent, même s'il n'est pas mauvais de chercher à en posséder plus. Je ne me fais pas prier pour dépenser. Mais trop de gens s'imaginent que le succès se mesure à l'importance du compte en banque. Ils acquiescent à tout, font des sourires à tout le monde et vont jusqu'à fréquenter des personnes qu'ils détestent cordialement en faisant comme s'ils étaient leurs amis. J'ai horreur de ce genre de comportement.

Dans le milieu de la course automobile, j'ai souvent eu l'occasion d'être témoin d'accidents impliquant deux pilotes. L'un a commis une erreur flagrante, mais l'autre refuse de blâmer ouvertement le responsable, s'efforçant de se montrer diplomate au lieu d'affirmer carrément: «Selon moi, il a agi de façon stupide.» Inversement, quand on est dans son tort, il faut avoir l'honnêteté de l'avouer. Les êtres humains se compliquent la vie inutilement en répugnant à dire les choses telles qu'elles sont. C'est pourquoi j'insiste sur l'importance d'être authentique, d'exprimer franchement son opinion.

Né pour piloter un bolide

Il n'est pas nécessaire d'avoir hérité d'un gène particulier pour faire de la course automobile. Mais quand on vient au monde au sein d'une famille où la course fait partie de la vie de tous les jours, on s'habitue très tôt à la vitesse.

Mon passage en formule 1

En 1994, ma première année en IndyCar, il y a eu des pourparlers entre les dirigeants de certaines des meilleures écuries de Formule 1. Après mes bons résultats de 1995 et, en particulier, après ma victoire en mai aux 500 milles d'Indianapolis, les négociations se sont engagées sérieusement avec les dirigeants de l'écurie Williams, cependant que Craig Pollock continuait de recevoir d'autres offres. Mais avant de décider de changer de catégorie, je tenais à connaître la sensation que l'on éprouve en pilotant une Formule 1. Comme la saison d'IndyCar se termine relativement tôt, je désirais savoir rapidement s'il serait opportun pour moi de faire le saut en Formule 1. En août, l'occasion s'est présentée de faire l'essai d'une Williams-Renault à Silverstone. Cela ne pouvait mieux tomber, sans compter que j'avais la chance de satisfaire ma curiosité au volant de la plus performante voiture de cette catégorie.

Dès le départ, j'ai été satisfait de la vitesse de mes tours et je me sentais assez à l'aise dans la voiture. Voilà qui dissipait l'une de mes principales inquiétudes. J'ai par ailleurs trouvé formidables les gens de l'écurie Williams. Au cours des trois jours d'essais, nos rapports ont été excellents, et je me suis bien amusé.

Trois facteurs ont joué un rôle clé dans ma décision de me joindre à l'écurie Rothmans-Williams-Renault. D'abord et avant tout, il s'agit d'une équipe championne possédant l'une des meilleures voitures au monde, que j'avais pris plaisir à conduire. Les membres de cette écurie, habitués qu'ils sont au succès, m'ont fait sentir que j'étais le bienvenu chez eux, et j'avais l'impression que nous pourrions bien nous entendre.

Deuxièmement, l'offre de Williams arrivait au bon moment. Je souhaitais prendre ma décision le plus rapidement possible afin de pouvoir concentrer mon attention sur le reste de la saison d'IndyCar. Une porte sur le monde de la Formule 1 s'ouvrait devant moi; il me fallait entrer avant qu'elle ne se referme. À cette époque de l'année, tous les pilotes de Formule 1 sont en quête d'avancement pour la saison suivante, et je devais pour ma part renouveler mon option en IndyCar.

La troisième raison pour laquelle j'ai accepté l'offre de Williams, c'est qu'elle constituait la meilleure garantie pour mon avenir. On nous proposait un contrat d'une durée de plus d'un an. C'était pour moi un élément capital, dans la mesure où, la première année, je pouvais connaître une mauvaise saison, la

Le bon choix

Je me suis senti tellement à l'aise dans la voiture et dans l'entourage des membres de l'écurie Williams que je me félicitais d'avoir décidé de faire le saut en Formule 1.

Le ski

Si l'on est habile sur des skis, il y a de fortes chances qu'on le soit aussi au volant d'une voiture de course, parce que les qualités requises sont sensiblement les mêmes dans les deux disciplines. En ski alpin, au moment de négocier un virage, il importe d'avoir un bon jugement et de savoir s'adapter aux situations. Il faut choisir la meilleure trajectoire possible; il faut que la coordination entre les mains et les yeux soit bonne; le sens de l'équilibre est indispensable. De plus, il faut bien sentir ses skis pour pouvoir y exercer une pression adéquate. Il faut aussi avoir une bonne endurance physique et la capacité d'imaginer à l'avance les virages. Quand j'ai commencé à skier, durant mon enfance, j'ai eu droit à quelques conseils des «Crazy Canucks», membres de l'équipe canadienne de ski qui obtenaient toujours d'excellents résultats en descente. J'admire les skieurs de compétition, parce que mes connaissances sur le ski m'ont permis de comprendre à quel point leurs exploits sont extraordinaires. J'ai connu moi aussi l'ivresse du ski.

voiture pouvait ne pas combler mes attentes, et que sais-je encore. Cet élément de sécurité a donc joué un rôle majeur dans ma décision.

Il ne m'a pas été facile de quitter Team Green, mon écurie en IndyCar. Nous avions vécu trois années extraordinaires, nous formions une équipe solide qui a connu sa juste part de succès, et une très profonde amitié nous liait les uns aux autres. Mais chacun doit suivre sa voie et saisir sa chance lorsqu'elle se présente.

Prêt pour le départ

En tant que pilote de course, je n'ai jamais accepté rien de moins que la possibilité de gagner. Telle était ma conception des choses quand je courais en IndyCar. C'est cette attitude qui m'a permis de gagner plusieurs courses, dont les 500 milles d'Indianapolis en 1995, et de devenir, à 24 ans, le plus jeune champion de cette catégorie. J'attribue une grande partie de mes succès au fait que ma préparation était impeccable et que je faisais le plus d'essais possible.

Après avoir accepté l'offre de l'écurie Williams en automne 1995, j'ai fait plus de 8000 kilomètres d'essais sur piste afin de me préparer à la saison 1996. Au début, j'ai dû m'habituer aux différences qui existent entre les monoplaces d'IndyCar et de Formule 1. Plus lente dans les droits, la Formule 1 est cependant plus rapide dans les virages. Son moteur est moins puissant, mais cette puissance est plus vite disponible. La Formule 1 étant par ailleurs plus légère et plus sensible, elle réagit plus

Prêt pour la compétition

Après avoir consacré l'hiver aux essais,

j'étais impatient de me lancer dans la compétition,

mais j'en appréhendais aussi les inconnues.

« Frank Williams n'a pas engagé Jacques pour qu'il se contente d'arriver bon deuxième. C'est un virtuose du volant qui a fait ses preuves et qui a la capacité d'accomplir un travail exceptionnel en Formule 1. »

DAMON HILL
(pilote de l'écurie Williams)

vite aux manœuvres, et son freinage est supérieur.

Le système électronique de changement de vitesse facilite la tâche du pilote dans la mesure où il n'a pas à lâcher le volant et qu'il peut ainsi se concentrer davantage sur la conduite. En Formule 1, les moteurs posent moins de problèmes qu'en IndyCar, où il faut tenir compte du temps de réaction des moteurs turbo.

Les voitures étant plus lourdes en IndyCar, leur conduite est plus exigeante sur le plan physique. Elles ont davantage tendance à déraper; il faut donc plus de force pour les garder sur la piste. En revanche, les voitures de Formule 1 étant plus nerveuses, il faut de meilleurs réflexes pour corriger leur trajectoire lorsqu'elles glissent. C'est pour moi un grand plaisir de conduire ces bolides dont les limites sont plus élevées.

Au début, avant d'avoir compris le fonctionnement de la Williams, c'étaient mes propres limites que je mettais à l'épreuve. Mais, après une période d'adaptation, j'ai commencé à sentir que ma voiture et moi ne faisions qu'un, et je me suis mis à la pousser aux limites de sa capacité. C'est alors que j'ai pris un réel plaisir à la conduire. L'une des plus grandes joies que l'on puisse éprouver derrière le volant, c'est justement d'atteindre ses propres limites et celles de sa voiture.

Les essais, c'est une chose; la compétition, c'en est une autre. Il me restait donc à vérifier comment une voiture de Formule 1 réagit durant une course, notamment jusqu'à quel point la présence d'autres voitures peut réduire sa déportance. En IndyCar, les voitures roulent déjà au moment du départ tandis que, en Formule 1, elles sont arrêtées. Il me faudrait donc m'adapter à ce changement et aussi adopter une stratégie nouvelle durant la course, vu qu'il n'y a pas de voiture officielle en Formule 1 et qu'il est rare que le drapeau jaune soit déployé. En outre, les arrêts au stand sont presque deux fois moins longs en Formule 1.

L'une de mes principales tâches durant ma première saison de Formule 1 allait être de me familiariser avec de nouveaux circuits. C'est ce que je fais depuis mes débuts en tant que pilote, ayant changé de catégorie assez souvent, passant de la Formule 3, en Italie et au Japon, à la Formule Atlantique, puis à l'IndyCar en Amérique du Nord. Chez Williams, j'ai eu l'occasion de faire des essais sur les pistes de certains Grands Prix: Silverstone, Monza, Imola, Magny-Cours, Barcelone et Estoril. J'ai aussi couru sur les pistes de Suzuka, de Montréal et de Monaco, mais dans d'autres types de voitures.

Une bonne connaissance de la piste est très utile parce qu'elle évite au pilote d'avoir à chercher où placer les roues dans les virages et où appliquer les freins. Il peut ainsi se concentrer sur la préparation de la voiture plutôt que sur la sienne. Je n'ai jamais eu de difficulté à m'adapter auparavant, et, d'une certaine façon, le fait que les dirigeants de la Formule 1 aient limité à une heure, le samedi, les qualifications pourrait m'être bénéfique. Le vendredi, au lieu de devoir me qualifier, je pourrais consacrer mon temps aux réglages de la voiture.

Je ne m'attendais pas qu'il soit plus difficile de courir en Formule 1 qu'en IndyCar, où les voitures roulent plus souvent côte à côte, se valant à peu près toutes sur le plan mécanique. Mais il me faudrait apprendre à connaître les pilotes, à découvrir entre autres comment ils se comportent dans diverses situations et à qui on peut faire confiance lorsque la compétition est serrée. Je crois avoir la réputation d'un homme qui lutte farouchement mais loyalement, et j'espérais qu'il en serait de même pour mes rivaux.

On disait de la Formule 1 qu'elle était un milieu froid, hostile et sans pitié. Les pilotes étaient censés être des robots ou des marionnettes faciles à manipuler, et la vie sociale au sein des écuries était réputée inexistante. Mes premières impressions m'ont laissé le sentiment agréable que rien de tout cela n'est exact. Je me suis plutôt senti au milieu d'une grande famille dont j'étais heureux de faire partie. On m'a accueilli à bras ouverts, en particulier chez Williams.

Dès le départ, je me suis entendu à merveille avec mon nouveau coéquipier, Damon Hill, et je n'avais aucune raison de craindre que des tensions naissent entre nous au cours de la saison. La Formule 1 n'aurait présenté aucun intérêt pour moi si on m'avait demandé de jouer le rôle de l'éternel second. Il n'y avait aucune directive en ce sens de la part de la direction de l'écurie, ce qui signifiait que nous allions tous deux nous battre pour la première place.

Au cours de l'hiver, mes tours aux essais étaient toujours aussi compétitifs, mais on se lasse de tourner en rond tout seul. Il me manquait la stimulation que seule la course procure. Aussi, à la fin de l'année, j'attendais avec impatience le signal du premier départ! 🏁

Choix d'avenir

À l'école, je m'intéressais aux mathématiques et à la physique. J'aurais sans doute pu faire carrière dans l'un de ces domaines, mais j'aurais eu besoin de la compétition. J'aurais pu participer à des championnats de ski, par exemple, mais j'ai opté pour la course automobile. Plus tard, j'aimerais explorer le monde de l'informatique ou celui de la musique.

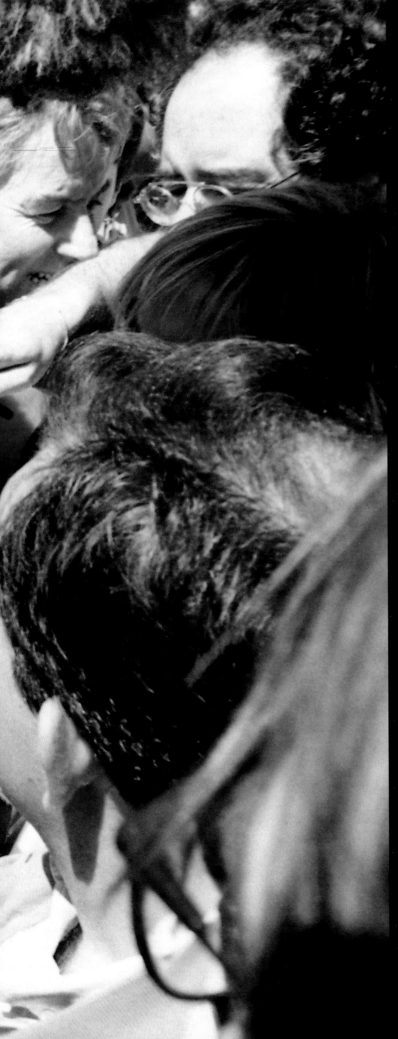

Le Grand Prix d'Australie

 Melbourne, Australie

J'ai été déçu de la manière dont la course s'est terminée pour moi, mais je me suis consolé en pensant que j'avais connu un week-end presque parfait en Australie. À ma première participation à un Grand Prix de Formule 1, j'ai récolté la pole position, mené pendant presque toute la course, obtenu le record du tour et terminé en deuxième place. Ma déception vient simplement de ce que je sois passé à un cheveu de la victoire.

Pour moi et pour tout le monde, bon nombre d'inconnues subsistaient avant cette course. Nouveau venu en Formule 1, j'ai attiré l'attention des journalistes et photographes plus qu'à tout autre moment de ma jeune carrière. Comme j'ignorais tout du travail des médias affectés à la couverture des Grands Prix et que tous les visages ne m'étaient pas encore familiers, je me sentais un peu étranger au milieu de cette faune.

L'accueil qui m'a été réservé a toutefois été des plus cordiaux. Comme je ne faisais pas encore partie de l'establishment, il était plutôt empreint de curiosité. On était au courant de mes succès en IndyCar et des bons résultats que j'avais obtenus aux essais de Williams, mais il me fallait encore faire mes preuves là où cela comptait réellement: dans un Grand Prix. Il n'était pas dit que je ne me casserais pas la figure en Formule 1.

Tout ce cirque médiatique – conférences de presse, entrevues particulières, apparitions en public, activités de promotion pour le compte des commanditaires, séances de photo, et j'en passe – m'étourdissait au point où j'éprouvais de la difficulté à me concentrer sur mon travail de pilote. Mais tout cela fait apparemment partie du sport; il m'importait donc d'agir en professionnel et de garder le sourire. Le fait que la première course de la saison se déroulait dans un environnement agréable a constitué pour moi un atout non négligeable.

Je n'aime pas vraiment jouer aux touristes, mais j'ai adoré me promener dans la ravissante ville de Melbourne. J'ai été ravi d'apprendre que la course se déroulerait au milieu d'un parc situé à proximité du centre-ville. Notre hôtel se trouvant tout près du circuit, je suis allé y faire du jogging, de même que quelques tours de piste sur patins à roues alignées, avant que la piste ne soit fermée au public. En plus de m'aider à mieux connaître le circuit et à m'acclimater à la chaleur, ces exercices m'ont permis de me remettre du décalage horaire et du long voyage vers l'Australie.

Je n'ai eu aucune difficulté à m'endormir cette nuit-là, mais l'occupant de la chambre voisine a peut-être eu le sommeil troublé par le son de ma guitare. Quand je suis chez moi, à Monaco, je joue parfois du piano. Mais comme je ne peux le transporter, ma sœur Mélanie, qui étudie la musique, m'a conseillé d'emporter une guitare en Australie. Grâce à un guide, j'ai fini par apprendre quelques accords. À la fin du week-end, mes séances nocturnes de guitare étaient pour moi une source de détente et d'intense satisfaction. Jusqu'alors l'apprentissage avait été lent et un tantinet frustrant, tout le contraire de ce qui allait se passer sur le circuit de Melbourne.

La cuvée 1996

La Formule 1 a la réputation d'être un milieu froid, hostile et sans pitié. Mes premières impressions, même lorsque j'étais entouré de mes rivaux, m'ont laissé le sentiment agréable que rien de tout cela n'est exact. J'ai eu le sentiment de me trouver dans une grande famille, dont j'étais heureux de faire partie.

Après la série d'essais que nous avions menés avec succès durant l'hiver, nous savions que l'écurie Rothmans-Williams-Renault serait compétitive dès le début de la saison, mais je ne m'attendais pas à être personnellement en mesure de pouvoir prétendre à la victoire aussi tôt. Mes espoirs étaient loin d'être timides, mais je me disais qu'il me restait beaucoup à apprendre sur la Formule 1 et qu'il serait irréaliste de croire que je prendrais déjà la tête du peloton. Pourtant, j'y pensais.

Après avoir réalisé le meilleur chrono le jeudi, durant la séance de reconnaissance devant permettre aux pilotes de se familiariser avec le nouveau circuit, mon ingénieur, Jock Clear, les mécaniciens de ma voiture et moi avons concentré nos efforts sur les réglages, en vue des qualifications du samedi. Durant ces essais d'une durée d'une heure, la circulation a été dense, car 21 autres pilotes luttaient pour améliorer leur position sur la grille de départ. J'ai donné tout ce que j'avais et, même si je n'ai eu la voie libre que durant deux tours, le plus rapide des deux m'a valu la pole position. Nos attentes sont alors montées d'un cran, mais je n'en demeurais pas moins inquiet.

Les départs arrêtés constituaient pour moi une inconnue; il ne faut pas oublier qu'en IndyCar les voitures roulent déjà lorsque le signal du départ est donné. J'avais été d'un départ arrêté pour la dernière fois en 1993, dans une course de Formule Atlantique, mais les voitures de cette catégorie sont plus petites et trois fois moins puissantes que celles de Formule 1. En outre, tant en Formule Atlantique qu'en Formule 1 avant cela, les départs n'avaient jamais été mon point fort, en raison de ma trop grande excitation.

J'avais également des appréhensions au sujet du cockpit de la Formule 1, surélevé sur les côtés afin d'assurer une meilleure protection en cas de collision latérale. La vision périphérique s'en trouve quelque peu diminuée, de même que la vision dans les rétroviseurs. Par conséquent, on risque davantage de perdre de vue les voitures roulant à côté de soi ou tout près derrière, surtout au moment où s'agglutinent les voitures, avant le premier virage. Mais il s'est fait que personne n'était vraiment près de moi.

Mon départ a été parfait. Mais le drapeau rouge a été déployé, et je me suis dit: «Zut! Pour une fois que j'ai un bon départ, me voilà obligé de le recommencer.» J'avais peut-être bénéficié de la chance du débutant, et il était peu probable qu'elle me sourie aussi largement deux fois de suite. Le grave accident dont Martin Brundle venait d'être victime a interrompu la course. J'ai été rassuré de constater que les mesures de sécurité étaient efficaces et que Martin était indemne.

En attendant le nouveau départ, je me suis efforcé de me relaxer. Être sur la grille de départ, c'est se trouver dans un autre monde. On y est plus calme que jamais. Du moins essaie-t-on de l'être. Il est capital de se détendre, car la nervosité guette le pilote. L'écart entre le succès et l'échec se mesure en secondes. Il faut donc oublier la tension et se dire: «Ce n'est qu'un départ, après tout; reste calme et surveille le signal.»

Toute l'attention du pilote se concentre sur les feux qui commandent le départ. Aussitôt que les feux rouges s'éteignent, c'est parti! Pas question de cligner des yeux.

En pole position

Le fait d'occuper la première case de la grille de départ à mon premier Grand Prix de Formule 1 n'a fait qu'ajouter aux pressions que je ressentais. L'écart entre le succès et l'échec se mesure en secondes. Il faut par conséquent se soustraire à ces pressions en se disant: «Ce n'est qu'un départ, après tout; reste calme et surveille le signal.»

«Ce fut une immense surprise pour moi de voir Jacques en pole position à son premier Grand Prix. Ce gars-là est vraiment rapide et habile.**»**

NIKI LAUDA
(trois fois champion du monde)

Plus rien ne compte en dehors des feux, des yeux, des mains et des pieds. Dès que les feux s'éteignent, il suffit de se laisser aller. Inutile de forcer la note, les choses se produisent d'elles-mêmes.

Les circonstances ont voulu que je prenne de nouveau la tête mais, dès le premier tour, mon coéquipier Damon Hill m'a pris en chasse. Il roulait avec une extrême rapidité pour la bonne raison que nos deux voitures sont identiques, même si leurs réglages sont différents. J'ai effectué certains tours plus rapidement que lui et pris une légère avance, de sorte que je n'avais plus besoin d'enfoncer le champignon. Puis Damon s'est rapproché et j'ai accéléré de nouveau pendant tout un tour, afin de conserver mon avance sur lui. Guère plus d'une seconde ne nous séparait l'un de l'autre, parfois moins quand nous devions doubler les retardataires.

Il en a été ainsi durant toute la course: la lutte était serrée et sans répit, mais agréable. Damon et moi bataillions farouchement mais loyalement. J'en étais fort

Mon duel avec Damon
Dès le départ, la lutte a été serrée entre Damon et moi. J'y ai pris énormément de plaisir... jusqu'au moment où j'ai dû lui céder le passage. Par la suite, je me suis senti anéanti.

L'armure du pilote

Lorsqu'elle me voit dans ma combinaison de pilote, Ann Bradshaw, la relationniste de l'écurie Williams, trouve que j'ai l'air d'un joueur de football américain, mais en plus petit. J'ose croire qu'elle fait référence à ma musculature! Mais il est vrai que ma combinaison est trop grande pour moi. C'est moi qui l'ai voulu ainsi afin de me sentir à l'aise dans le cockpit. Je déteste porter des vêtements qui me serrent. Une fois les harnais bouclés, on arrive à peine à respirer tellement on est à l'étroit. Si la combinaison serre les jambes et les bras pendant les deux heures que dure une course, le pilote devient vite malheureux calé dans son baquet. C'est pour le confort que je porte habituellement des vêtements trop grands pour moi, et j'ai décidé de garder cette habitude quand je pilote. Je me soucie moins de mon apparence que de mon confort à ce chapitre. C'est moi qui ai conçu le dessin qui orne mon casque. Quand j'ai commencé à faire de la course, j'ai couché sur papier les idées que j'avais en tête, y compris l'agencement des couleurs. Certains pourront y voir le V de la victoire, mais ce n'est pas ce que j'avais initialement à l'esprit.

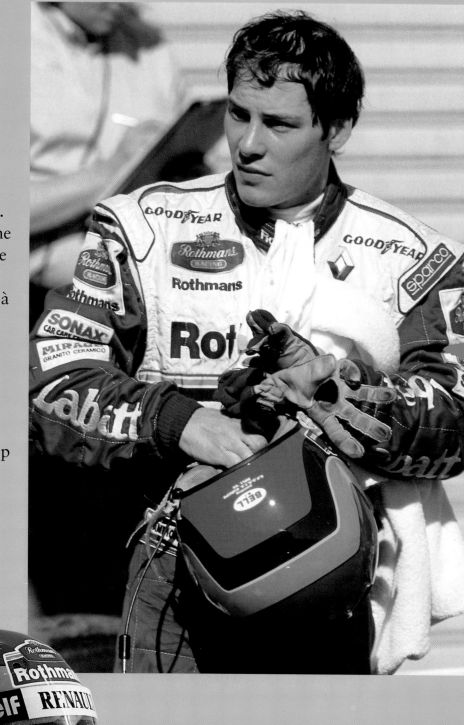

Étude comparative

Mettez une voiture d'IndyCar et une voiture de Formule 1 côte à côte sur un circuit typique de Formule 1, et la Formule 1 devrait en faire le tour en 3 ou 4 secondes de moins que l'Indy. La vitesse de pointe de l'Indy, plus puissante, pourrait être plus élevée, mais l'Indy sera moins rapide dans les virages. Sur une piste ovale comme celle d'Indianapolis, l'Indy devrait être plus rapide; mais sur une piste moins longue et moins droite comme celle de Phoenix, je ne sais trop laquelle des deux voitures serait la plus rapide, parce que la Formule 1 pourrait tirer avantage de sa vitesse dans les virages. Il serait intéressant de faire des essais à ce sujet.

aise, car certains pilotes de Formule 1 passent pour manquer de *fair-play*.

Après nous être arrêtés au stand pour faire le plein et changer les pneus, Damon est passé devant moi. Si je voulais le doubler, il me fallait le faire avant que ses pneus n'atteignent la température idéale. Je me suis donc rapproché de lui le plus possible. La lutte était acharnée parce qu'il avait le don d'emprunter les meilleures trajectoires dans les virages. À un moment donné, il a fait un écart et j'ai dû en faire un encore plus marqué. Je disposais d'à peine l'espace suffisant pour réussir à me faufiler et j'avais tout juste la vitesse nécessaire pour le doubler. C'était très serré, mais quelle satisfaction j'ai éprouvée! Ce dépassement a été pour moi le point fort de la course.

Dès ce moment, nous nous sommes trouvés dans la même situation qu'avant l'arrêt au stand. Damon hantait mes rétroviseurs; moi, je suais sang et eau pour rester en tête. À un certain moment, j'ai trop appuyé sur l'accélérateur, et ma voiture s'est mise de travers. J'ai alors donné contre la bordure de la piste et me suis trouvé sur la pelouse. Ce virage me donnait toujours des sueurs froides, la piste étant très cahoteuse à l'endroit où il faut appliquer les freins; il y avait même risque de tête-à-queue pour celui qui freinerait au mauvais endroit. Dans le feu de l'action, j'ai freiné précisément là où je n'aurais pas dû: l'arrière de la voiture s'est détaché du sol et celle-ci s'est mise de travers. J'ai réellement cru un instant avoir irrémédiablement perdu la maîtrise du bolide, mais j'ai réussi à le ramener sur la piste.

C'est alors qu'est survenue une difficulté contre laquelle je ne pouvais rien. En passant devant mon stand, j'ai aperçu un nouveau message sur le panneau: «RALENTIS», mais je n'arrivais pas à comprendre pourquoi, pas plus que je ne saisissais le sens de la mauvaise nouvelle qu'on me communiquait par radio. Quelques tours de pistes plus tard, Jock m'a envoyé

La joie d'être en tête

Le fait que la première course de la saison se déroule dans un environnement agréable a constitué pour moi un atout non négligeable. Comme j'ai eu la voie libre, mon plaisir a été décuplé sur la piste, mais je n'ai quand même pas eu le loisir de m'attarder là-dessus dans le cockpit.

Quelque chose à prouver

D'une certaine façon, je me sens obligé de prouver qu'un pilote d'IndyCar peut passer avec succès à la Formule 1. Même si je pilote pour mon propre plaisir et non pas pour dissiper des doutes à ce sujet, je ne serais pas fâché de pouvoir contribuer à dissiper l'impression selon laquelle l'IndyCar est inférieure à la Formule 1.

un message on ne peut plus clair: je devais ralentir, sinon je risquais de devoir abandonner la course.

En effet, les données de télémétrie indiquaient une baisse progressive de la pression d'huile du moteur. Une fuite importante d'huile rendait très réelle la possibilité que le moteur Renault explose. Après quelques tours supplémentaires, le voyant rouge s'est allumé sur mon tableau de bord. La pression d'huile baissait rapidement. Avec cinq tours à faire, je n'avais pas le choix: je devais mettre la pédale douce et laisser Damon filer vers la victoire.

Je me sentais anéanti. Tout m'a soudain paru pénible, comme si un poids énorme s'abattait sur moi. Après avoir lutté avec tant d'acharnement et d'adresse, j'étais terriblement déçu. La victoire m'échappait au moment où je l'avais à ma portée. J'étais à la fois si près et si loin du but. Mais cela fait partie de l'univers de la course. Quand le pilote, sa voiture et son moteur sont poussés à la limite de leur endurance, l'imprévu guette. Dès lors, la seule chose qui comptait pour moi, c'était de continuer, de rester deuxième jusqu'à la fin et de récolter le plus de points possible pour mon écurie.

Au cours des derniers tours, je n'avais qu'une idée en tête: tenir le coup jusqu'à la fin. Il m'a donc fallu ralentir de plus en plus parce que le voyant rouge s'allumait de plus en plus souvent dans les virages, m'avertissant que le niveau d'huile continuait de

En deuxième place

D'une certaine manière, j'ai été soulagé d'apprendre que j'étais peut-être en partie responsable des problèmes mécaniques qui m'ont coûté la victoire. Il m'a alors été plus facile de digérer ma deuxième position sur le podium.

baisser dangereusement. Encore heureux que le moteur ait tenu jusqu'à la ligne d'arrivée, car c'est à peine s'il y restait une goutte d'huile à la fin de la course!

Ce n'est qu'après la course que nous avons découvert que la fuite était due à un bris mécanique vraisemblablement survenu quand j'ai heurté la bordure de la piste. La voiture est normalement assez solide pour résister à un tel choc, mais, d'une certaine façon, j'ai été soulagé d'apprendre que j'étais peut-être en partie responsable de mon revers. Il m'a alors été plus facile de digérer ma deuxième position sur le podium.

Hormis la déception de voir une course si bien commencée se terminer sur une telle note, mon premier week-end en Formule 1 a été réussi. Tous ceux qui doutaient peut-être encore que je sois à ma place sur le grand circuit avaient eu la preuve de ma compétitivité. Pour ma part, j'étais satisfait d'avoir atteint mon objectif, qui était de tenir tête aux champions de Formule 1. Mais je savais qu'il me restait beaucoup à apprendre. Peut-être n'en aurais-je pas pris suffisamment conscience si j'avais remporté ma première course. Ma deuxième position mettait en lumière le fait qu'il y avait matière à amélioration. 🏁

Douche au champagne

L'écurie Williams a remporté les deux premières places, Eddie Irvine terminant troisième pour Ferrari. Ma compétitivité a montré aux sceptiques que j'étais à ma place sur le grand circuit. J'avais la satisfaction d'avoir atteint mon objectif: tenir tête aux champions de la Formule 1.

Je vise haut

En étant réaliste, j'espère occuper l'un des trois premiers rangs du classement à la fin de la saison de Formule 1. Mais je ne vise rien de moins que le championnat. Pour réussir quoi que ce soit dans la vie, il faut se fixer des objectifs élevés.

Le Grand Prix d'Australie – 10 mars 1996

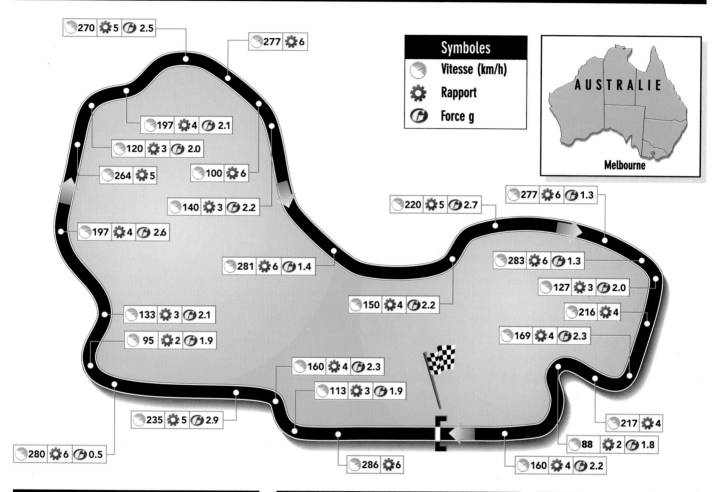

Symboles
- 🌐 Vitesse (km/h)
- ⚙ Rapport
- Ⓖ Force g

AUSTRALIE

Melbourne

Temps de qualification			
RANG	PILOTE	ÉCURIE	TEMPS
1	VILLENEUVE	Williams-Renault	1:32,371
2	HILL	Williams-Renault	1:32,509
3	IRVINE	Ferrari	1:32,889
4	SCHUMACHER	Ferrari	1:33,125
5	HAKKINEN	McLaren-Mercedes	1:34,054
6	ALESI	Benetton-Renault	1:34,257
7	BERGER	Benetton-Renault	1:34,344
8	BARRICHELLO	Jordan-Peugeot	1:34,474
9	FRENTZEN	Sauber-Ford	1:34,494
10	SALO	Tyrrell-Yamaha	1:34,832
11	PANIS	Ligier-Mugen-Honda	1:35,330
12	VERSTAPPEN	Footwork-Hart	1:35,338
13	COULTHARD	McLaren-Mercedes	1:35,351
14	HERBERT	Sauber-Ford	1:35,453
15	KATAYAMA	Tyrrell-Yamaha	1:35,715
16	FISICHELLA	Minardi-Ford	1:35,898
17	LAMY	Minardi-Ford	1:36,109
18	ROSSET	Footwork-Hart	1:36,198
19	BRUNDLE	Jordan-Peugeot	1:36,286
20	DINIZ	Ligier-Mugen-Honda	1:36,298

Résultats de la course				
RANG	PILOTE	TOURS	ÉCART	TEMPS
1	HILL	58		1:32:50,491
2	VILLENEUVE	58		1:33:28,511
3	IRVINE	58		1:33:53,062
4	BERGER	58		1:34:07,528
5	HAKKINEN	58		1:34:25,562
6	SALO	57	1 tour	
7	PANIS	57	1 tour	
8	FRENTZEN	57	1 tour	
9	ROSSET	56	2 tours	
10	DINIZ	56	2 tours	
11	KATAYAMA	55	3 tours	

Points des constructeurs	
CONSTRUCTEUR	POINTS
Williams-Renault	16
Ferrari	4
Benetton-Renault	3
McLaren-Mercedes	2
Tyrrell-Yamaha	1

Points des pilotes	
PILOTE	POINTS
HILL	10
VILLENEUVE	6
IRVINE	4
BERGER	3
HAKKINEN	2
SALO	1

Meilleurs temps	
VITESSE DU GAGNANT:	
Damon Hill	198,736 km/h
TOUR LE PLUS RAPIDE:	
Jacques Villeneuve	1:33,421
	204,313 km/h

Le Grand Prix du Brésil

 São Paulo, Brésil

Chacune des courses auxquelles je prendrais part durant ma première saison de Formule 1 était destinée à me permettre d'acquérir de l'expérience. Ainsi, au Grand Prix du Brésil, j'allais apprendre à piloter sous la pluie. C'était une situation nouvelle pour moi. Je n'avais couru qu'une seule fois sous la pluie auparavant, au Japon, dans une voiture de Formule 3. J'ai beaucoup appris de mon deuxième Grand Prix de Formule 1, plus particulièrement de l'erreur qui m'a forcé à abandonner à mi-course.

D'Australie, nous nous sommes envolés directement vers le Brésil, où nous comptions prendre quelques jours de repos avant le Grand Prix. Nous logions dans un endroit magnifique situé sur la côte, une énorme résidence au pied de laquelle la plage s'étendait à perte de vue. Seul inconvénient: photographes et journalistes nous attendaient de pied ferme sur la plage. Il est impossible de vaquer tranquillement à ses occupations quand tout le monde autour de vous cherche à vous accaparer; je parvenais difficilement à me relaxer. Afin d'avoir la paix, Craig Pollock et moi jouions au tennis trois ou quatre heures par jour. Au moins, nous faisions de l'exercice.

Nous avons ensuite emménagé dans un hôtel à São Paulo, ville gigantesque où la circulation est infernale. Question d'éviter les embouteillages, nous avions prévu qu'un hélicoptère nous déposerait au circuit et nous en ramènerait. Mais chaque fois que le mauvais temps clouait l'hélicoptère au sol, il nous fallait plus de deux heures pour faire le trajet en voiture. Comme nous avions aussi des engagements à l'extérieur du circuit, la fatigue et le stress ont fini par se faire sentir.

Contrairement à ce qui s'était passé pour ma première course, en Australie, où une journée spéciale avait été réservée aux pilotes pour qu'ils se familiarisent avec le nouveau circuit, j'ai dû prendre connaissance du circuit d'Interlagos tout seul, pendant que les autres pilotes s'affairaient à mettre leur voiture au point. Nous étions donc un peu en retard sur notre horaire du vendredi, mais, une fois que j'ai été familiarisé avec la piste, nous avons pu améliorer les réglages et rattraper le temps perdu. Avant les qualifications du samedi, j'avais presque atteint la cadence établie par mon coéquipier Damon Hill.

Après être parvenu à me classer troisième sur la grille de départ, je sentais que la voiture pouvait réaliser un meilleur temps; c'est pourquoi j'ai décidé de faire un tour de piste supplémentaire dans l'espoir de me rapprocher de Damon, qui partirait de la pole position. À la fin des essais, un pilote n'a plus rien à perdre: ou il obtient son meilleur tour ou il rentre bredouille. Pour ma part, je me suis retrouvé dans le décor, mais l'essai en valait la peine parce que, selon l'ordinateur, j'étais en train d'effectuer mon tour le plus rapide lorsque je suis sorti de la piste.

Après avoir procédé à de nouveaux réglages, nous avons obtenu le deuxième temps aux essais libres du dimanche matin. Nous avions donc toutes les raisons d'être optimistes. La voiture semblait encore plus puissante et plus stable, adéquatement préparée pour ce qui s'annonçait comme un Grand Prix long et difficile. Mais voilà que le mauvais temps s'est mis de la partie: une pluie torrentielle s'est mise à tomber quelques minutes avant le départ. Les voitures ayant été réglées pour temps sec, le déluge venait tout chambarder. Pis encore, je n'avais pas l'expérience de la course sous la pluie.

Je n'ignorais pas que je devrais tôt ou tard affronter ce genre de situation; autant que ce soit le plus tôt possible. Tout juste avant le départ, pendant que les mécaniciens installaient les pneus pluie, je n'avais toujours pas défini de stratégie. Je ne disposais pour ainsi dire d'aucun élément à partir duquel j'aurais pu en élaborer une. J'avais couru une seule fois sous la pluie; c'était en 1992 au Japon, en Formule 3 (j'avais alors terminé quatrième). En deux ans d'IndyCar, j'avais fait au plus une douzaine de tours de

Les aléas du métier

Un hélicoptère nous permettait d'éviter les embouteillages de São Paulo; mais le mauvais temps a fini par le clouer au sol, et nous avec.

piste par mauvais temps. Au cours des essais effectués avec la Williams durant l'hiver, il y avait eu quelques jours de pluie, mais les essais, ce n'est pas la compétition.

Pour se rendre à la grille de départ, il fallait traverser une immense flaque d'eau au milieu de laquelle ma voiture me faisait penser à un bateau. J'ai même craint un instant l'accident dans la voie des stands. Durant le tour de formation, la voiture ne cessait de faire de l'aquaplanage, ce qui me donnait des sueurs froides.

Le départ s'est toutefois assez bien déroulé; j'ai même devancé Damon Hill pendant un moment, mais il a réagi aussitôt et repris la tête. Il m'a dit par la suite que, vu qu'il occupait la pole position, il lui aurait été impossible de ne pas mener durant le premier tour. Cela se comprend facilement: durant le premier tour, il était le seul à voir où il allait. Les gouttelettes en suspension dans l'air réduisaient considérablement la visibilité pour tous les autres pilotes; j'ai perdu de précieuses secondes.

Il m'a fallu un certain temps pour m'habituer aux conditions difficiles. Il m'a fallu aussi beaucoup de perspicacité et de nombreux tâtonnements avant de découvrir quelles étaient les meilleures trajectoires à suivre dans toute cette eau. Aucun tour de piste n'était pareil aux autres. La voiture valsait dans toutes les directions, et c'est avec peine que je parvenais à la maîtriser. J'avais l'impression d'avancer sur la pointe des pieds. La situation était très tendue.

Après environ cinq tours de piste, j'ai fini par atteindre la cadence de Damon, mais il avait pris une telle avance qu'il se dirigeait allègrement vers une victoire

Mes débuts sous la pluie

Ma première course de Formule 1 sous la pluie a présenté un véritable défi pour moi, surtout que l'un des meilleurs pilotes sur piste mouillée se trouvait immédiatement derrière moi. Il n'a pas été facile de garder Jean Alesi à distance, mais cela a été agréable... le temps que ç'a duré!

éclatante, tant pour lui-même que pour notre écurie. Ma mission consistait dès lors à préserver ma deuxième position devant Jean Alesi, reconnu comme l'un des meilleurs pilotes sur piste mouillée.

J'ai fini par prendre plaisir à conduire dans ces mauvaises conditions. Mais la pluie a cessé peu à peu, et une trajectoire de course sèche a commencé à se dessiner sur la piste. J'ai alors jugé important de me distancer le plus possible d'Alesi avant mon arrêt au stand, où l'installation de pneus temps sec me permettrait de tirer pleinement parti des réglages de ma voiture. Or la piste était encore mouillée par endroits; c'est cette disparité qui allait me causer des ennuis.

Pendant que nous dépassions une voiture moins rapide, Alesi a réussi à me rattraper, et nous sommes arrivés ensemble au virage suivant. Aux tours précédents, j'avais attaqué cette courbe plus hardiment à mesure que la piste s'asséchait. J'ai donc tenté de la négocier à la même vitesse, oubliant momentanément que je me trouvais sur la partie humide de la piste. L'adhérence étant nulle, mon bolide a vite été éjecté de la piste. «Espèce d'idiot!» me suis-je écrié. J'avais commis une bévue et je m'en voulais terriblement.

Je déteste les erreurs, mais elles sont jusqu'à un certain point inévitables quand on pousse sa voiture à la limite de ses capacités. Je suis certes tombé dans un piège difficile à éviter en pareilles circonstances, mais ce n'est pas là une excuse valable. En tant que pilote professionnel, de surcroît détenteur d'un titre dans un championnat, je devrais être en mesure de garder mon bolide sur la piste en toute circonstance.

Manque d'adhérence

«Espèce d'idiot!» me suis-je écrié lorsque j'ai perdu la maîtrise de mon véhicule et que je suis sorti de la piste. Je m'en voulais d'avoir commis une erreur aussi stupide.

Ne pouvant traverser la piste pour rentrer au stand, j'ai passé le reste de la course assis dans la camionnette d'un commissaire de piste. Heureusement pour moi, j'ai pu suivre la course sur un téléviseur monté à bord. Comme spectateur, je n'ai pas été déçu; comme ex-concurrent, j'étais malheureux comme les pierres, surtout une fois la chaussée sèche. J'étais d'autant plus frustré par cette sortie de piste que ma voiture aurait été parfaitement adaptée aux nouvelles conditions. Hélas! elle était immobilisée dans le gravier.

De retour au garage après la course, j'ai présenté mes excuses aux membres de l'écurie; à ma grande surprise, ils se sont montrés compréhensifs. Je m'attendais à les trouver tout aussi irrités que moi par un tel gaspillage de points. Les choses auraient peut-être été différentes s'il s'était agi de l'une des dernières courses de la saison et de la lutte finale pour le championnat. Mais il restait encore 14 courses à disputer et beaucoup d'autres points à saisir.

Par ailleurs, ma contre-performance au Brésil a eu ceci de positif qu'elle a servi à parfaire mon éducation. J'en ai appris davantage sur l'art de piloter sous la pluie, ce qui ne pourra que m'être profitable dans l'avenir, tout comme la leçon que j'ai apprise de ma sortie de piste. Ayant comme objectif personnel de tirer parti de mes erreurs, j'étais bien décidé à ne pas commettre de sitôt bourde aussi coûteuse. Je refusais toutefois de me morfondre en ressassant l'échec. Le Grand Prix du Brésil faisait désormais partie du passé et je n'avais plus qu'un désir: tenter de nouveau ma chance le week-end suivant en Argentine.

La difficile voie de l'apprentissage

En 1988, à mes débuts dans la course automobile en Italie, au volant de voitures de tourisme, je n'étais qu'un gamin enclin aux pitreries et souvent impliqué dans des accidents. J'ai pris les choses plus au sérieux à ma première année de Formule 3, de sorte que je demeurais plus longtemps en piste. À ma deuxième saison, je me suis rapproché des meneurs. À ma troisième, j'en faisais partie.

Pour continuer à apprendre, il faut se fixer des objectifs toujours plus élevés. À la fin de la saison 1991, j'ai éprouvé le besoin d'un changement. J'avais le choix: faire le saut en Formule 3000 ou me diriger vers une catégorie encore plus compétitive. Comme nous n'avions pas assez de commanditaires pour lutter à armes égales avec les meilleures écuries de la Formule 3000, je ne voyais aucune raison de faire les choses à moitié.

Puisque j'avais déjà participé à des courses de Formule 3 à Macao et à Fuji, l'écurie Toyota m'a invité à m'inscrire en Formule 3 au Japon. J'ai alors pensé que ce serait une bonne idée de vivre dans ce pays et de me plonger dans une culture totalement différente, tant en ce qui concerne la vie de tous les jours que la course automobile. Certains des pilotes les meilleurs et les plus expérimentés vivaient au Japon, et ils y étaient plus nombreux qu'en Italie. Je pourrais donc apprendre plus rapidement.

Une telle décision comportait certains risques, mais la suite des événements a montré que j'ai fait le bon choix. Autrefois paresseux, j'ai appris à travailler fort!

Excuses acceptées
À mon grand étonnement, Frank Williams et les membres de l'écurie se sont montrés compréhensifs. Je pensais qu'ils seraient aussi irrités que moi devant un tel gaspillage de points. Mais il restait encore 14 courses à disputer et beaucoup de points à gagner.

Le cirque médiatique de la Formule 1

La couverture médiatique est beaucoup plus importante en Formule 1 qu'en IndyCar. Je croyais être préparé, mais je dois reconnaître que les photographes et les journalistes, surtout au Brésil, exercent sur les coureurs une pression quasiment intolérable. Cela a commencé plusieurs jours avant la course et s'est poursuivi sans relâche. À tel point que j'ai eu de la difficulté à me concentrer sur la course. Mais c'est la rançon de la Formule 1. C'est aussi bon signe, car si je ne réussissais pas bien, les médias ne s'intéresseraient pas à moi.

Les membres de l'écurie Toyota ne parlaient pas ma langue; j'ai donc dû me démener dans mes rapports avec les ingénieurs. Ceux-ci m'ont confié beaucoup plus de responsabilités que j'en avais eu en Italie, notamment en ce qui a trait aux réglages. Cela a eu un effet bénéfique sur ma façon de voir les choses et de travailler.

Le moment n'aurait pas pu être plus opportun. Après quatre saisons en Formule 3, j'avais mûri; j'avais pu développer mon sens de la stratégie. J'avais appris à réfléchir et à prévoir les situations, de même qu'à observer et à réagir convenablement au lieu de lancer mon bolide à fond de train à chaque tour de piste.

Tout s'est mis en place naturellement et logiquement. Il est important à mon avis de pouvoir tirer soi-même des leçons des expériences vécues. Il peut être utile qu'un autre vous dise comment vous y prendre, mais on apprend plus vite par soi-même, soit en corrigeant le tir lorsqu'on commet des erreurs, soit en prenant note de ses bons coups et en les répétant comme j'ai pu le faire au Japon.

En 1993, lorsque je suis passé en Formule Atlantique, en Amérique du Nord, les voitures étaient plus agréables à conduire. Outre leurs roues plus grandes que celles de la Formule 3, leur déportance et leur puissance étaient supérieures, ce qui permettait de les lancer à fond de train. On aurait dit des go-karts surpuissants.

J'ai opté pour la Formule Atlantique afin d'accéder un jour à l'IndyCar. Ainsi, je m'habituerais aux différents circuits, plus particulièrement aux pistes ovales, de même qu'à la mentalité régnant sur les circuits nord-américains. En outre, le saut aurait été trop important, surtout en ce qui concerne la puissance, si j'étais passé directement de la Formule 3 à l'IndyCar. L'entraînement serait plus productif en Formule Atlantique, où les voitures présentent une plus grande adhérence qu'en Formule 3 et ont un effet de sol semblable à celui des voitures Indy.

Lorsqu'on gravit ainsi les échelons, il est nécessaire avant d'aller plus loin de se sentir aussi à l'aise dans la nouvelle catégorie que dans la précédente. L'important, c'était de m'habituer à l'impressionnante puissance de la voiture Indy. Il m'a fallu du temps pour y arriver. Durant les premiers jours des essais, mon cœur battait la chamade tellement tout se passait plus vite que ce à quoi j'étais habitué.

Cela n'a rien à voir avec la peur, mais plutôt avec la rapidité de tout ce qui se passe. Il faut sans cesse changer de vitesse, freiner, braquer le volant. Le tout se produisait si vite dans mon esprit que je n'avais même pas le temps de me rendre

« Ce n'est pas comme si Jacques sortait tout juste des rangs de la Formule 3. Il a remporté les 500 milles d'Indianapolis et le championnat des pilotes d'Indy. Il maîtrise parfaitement la situation. **»**

PATRICK HEAD
(directeur technique de l'écurie Williams)

Leçon apprise

Je déteste les erreurs, mais elles sont jusqu'à un certain point inévitables quand on pousse sa voiture à la limite de ses capacités. J'ai pour objectif d'apprendre de mes erreurs afin d'éviter de les répéter.

compte de ce qui se passait. Après cinq tours, j'étais plus fatigué que je ne l'avais jamais été dans une voiture de course.

Plus imposantes et plus adhérentes, les voitures Indy sont donc plus difficiles à maîtriser. Sans compter que leur vitesse de pointe supérieure cause des turbulences auxquelles il faut s'adapter. J'ai aussi dû apprendre à tirer pleinement parti des moteurs turbo, notamment à tenir compte du temps de décalage de l'accélération et de l'extraordinaire poussée qui s'ensuit lorsque la puissance se manifeste enfin.

Les arrêts au stand, inconnus dans les catégories inférieures, étaient également une nouveauté pour moi. Il me fallait par ailleurs m'adapter à la conduite d'une voiture alourdie par un réservoir de plus de 150 litres de carburant. J'avais l'habitude des courses de courte durée, tandis que celles de l'IndyCar durent deux heures ou plus et s'étirent parfois sur 500 milles, comme à Indianapolis et au Michigan. Pour tenir le coup, il faut de l'endurance et une concentration soutenue. Sur les courtes pistes ovales, on est pris dans un embouteillage permanent; il faut donc apprendre à doubler les lambins. Voilà qui requiert un jugement infaillible quand on roule à 370 km/h le long d'un mur de béton!

Autre élément à ne pas négliger, la compétition est féroce en IndyCar du fait que les voitures sont à peu près égales. Dans n'importe quelle course Indy, une bonne douzaine de voitures sont en mesure de l'emporter. Elles roulent souvent à la même hauteur, de sorte qu'un pilote doit savoir manœuvrer dans la circulation dense s'il souhaite réussir. Certains des meilleurs pilotes du monde courent en Indy. Les pilotes de Formule 1 suscitent peut-être plus que les autres l'attention des médias, mais cela n'empêche pas les meilleurs pilotes d'IndyCar d'être également excellents.

Nous faisions tous notre apprentissage, l'écurie Team Green étant également une nouvelle venue en IndyCar. Mais nos relations étaient excellentes, et nos progrès continus. Au début de la saison 1994, j'étais à moins d'une seconde des meilleurs temps aux qualifications. Dans la seconde moitié de l'année, l'écart était de moins d'une demi-seconde, parfois plus étroit encore. Ce retard d'une demi-seconde devait être comblé; nous y sommes parvenus dès le début de 1995. Jamais nous n'avons été déclassés; nous avons même obtenu six fois la pole position et six fois le record du tour, en plus d'avoir gagné quatre courses, dont l'Indy 500.

Un tel éventail d'expériences m'a permis de faire sans encombre le saut en Formule 1. Mais mon apprentissage était loin d'être terminé, comme le prouvait ma sortie de piste au Grand Prix du Brésil.

Le Grand Prix du Brésil – 31 mars 1996

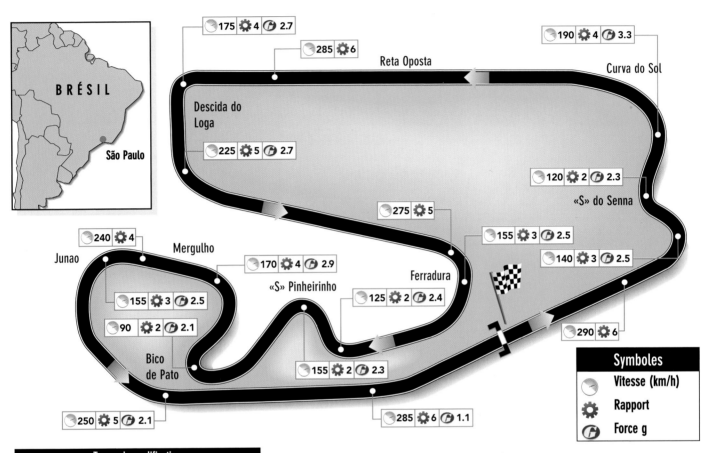

Reta Oposta

Curva do Sol

Descida do Loga

«S» do Senna

Junao

Mergulho

Ferradura

«S» Pinheirinho

Bico de Pato

Symboles

	Vitesse (km/h)
	Rapport
	Force g

Temps de qualification

RANG	PILOTE	ÉCURIE	TEMPS
1	HILL	Williams-Renault	1:18,111
2	BARRICHELLO	Jordan-Peugeot	1:19,092
3	VILLENEUVE	Williams-Renault	1:19,254
4	SCHUMACHER	Ferrari	1:19,474
5	ALESI	Benetton-Renault	1:19,484
6	BRUNDLE	Jordan-Peugeot	1:19,519
7	HAKKINEN	McLaren-Mercedes	1:19,607
8	BERGER	Benetton-Renault	1:19,762
9	FRENTZEN	Sauber-Ford	1:19,799
10	IRVINE	Ferrari	1:19,951
11	SALO	Tyrrell-Yamaha	1:20,000
12	HERBERT	Sauber-Ford	1:20,144
13	VERSTAPPEN	Footwork-Hart	1:20,157
14	COULTHARD	McLaren-Mercedes	1:20,167
15	PANIS	Ligier-Mugen-Honda	1:20,426
16	KATAYAMA	Tyrrell-Yamaha	1:20,427
17	ROSSET	Footwork-Hart	1:20,440
18	LAMY	Minardi-Ford	1:21,491
19	BADOER	Forti-Ford	1:23,174
20	MONTERMINI	Forti-Ford	1:23,454
21	MARQUES	Minardi-Ford	0:00,000
22	DINIZ	Ligier-Mugen-Honda	0:00,000

Résultats de la course

RANG	PILOTE	TOURS	ÉCART	TEMPS
1	HILL	71		1:49:52,976
2	ALESI	71	17,982	1:50:10,958
3	SCHUMACHER	70	1 tour	
4	HAKKINEN	70	1 tour	
5	SALO	70	1 tour	
6	PANIS	70	1 tour	
7	IRVINE	70	1 tour	
8	DINIZ	69	2 tours	
9	KATAYAMA	69	2 tours	
10	LAMY	68	3 tours	
11	BADOER	67	4 tours	

Points des constructeurs

CONSTRUCTEUR	POINTS	CUMULATIF
Williams-Renault	10	26
Benetton-Renault	6	9
Ferrari	4	8
McLaren-Mercedes	3	5
Tyrrell-Yamaha	2	3
Ligier-Mugen-Honda	1	1

Points des pilotes

PILOTE	POINTS	CUMULATIF
HILL	10	20
VILLENEUVE	0	6
ALESI	6	6
HAKKINEN	3	5
IRVINE	0	4
SCHUMACHER	4	4
BERGER	0	3
SALO	2	3
PANIS	1	1

Meilleurs temps

VITESSE DU GAGNANT:

Damon Hill   167,673 km/h

TOUR LE PLUS RAPIDE:

Damon Hill   1:21,547
190,932 km/h

Le Grand Prix d'Argentine

 Buenos Aires, Argentine

Arriver deuxième a été plus satisfaisant en Argentine qu'en Australie où, après avoir mené presque jusqu'à la fin, j'avais été déçu. À Buenos Aires la voiture roulait bien. Même si la lenteur de mon départ signifiait que j'aurais à me battre sans relâche pour gagner du terrain, cet effort supplémentaire ne faisait qu'ajouter à mon plaisir et aiderait à compenser l'erreur que j'avais commise au Brésil. Grâce à la victoire de Damon, notre équipe connaissait une fois de plus un week-end parfait.

Nous nous sommes rendus en Argentine immédiatement après le week-end trépidant passé au Brésil, afin de profiter de quelques jours de repos et de relaxation. La préparation plus détendue du Grand Prix du Brésil allait rapporter. Nous avons pu examiner plus attentivement le circuit de Buenos Aires en en faisant lentement le tour plusieurs fois dans une voiture louée. Ainsi, il me faudrait faire moins de tours en Williams-Renault pour me familiariser avec la piste. Celle-ci me faisait penser à un circuit de karting: beaucoup de virages lents, séparés par des droits très courts. Il y avait aussi deux grosses bosses qui, en Formule 1, donnent l'impression au pilote de recevoir une décharge électrique dans le bas du dos chaque fois qu'il les rencontre. Mais aucun des virages aux larges échappatoires ne suscitait la sensation enivrante que seuls peuvent donner les virages rapides, où, quand on franchit la limite, le risque d'entrer dans le décor est plus élevé.

La configuration réduite du circuit amenuisait aussi l'avantage mécanique. Du fait que le peloton serait plus serré, la position sur la grille de départ devenait plus importante que jamais. Le revêtement d'asphalte était glissant, donc excellent pour la course, car les voitures y glissent davantage, ce qui est amusant, et il provoque des erreurs de conduite dont on peut tirer parti... quand ce sont les autres pilotes qui les commettent. J'en ai commis une le samedi matin, et ma sortie de piste a raccourci ma séance d'entraînement. Mais, l'après-midi, les qualifications se sont bien déroulées. J'étais troisième sur la grille, derrière Damon et Michael Schumacher, ce qui était encourageant vu les tours perdus le matin. Nous avons parfait les réglages. Le dimanche matin, durant les essais libres, la voiture m'a paru fin prête pour la course.

Mon départ a été lamentable. La voiture s'est bien lancée, mais seulement sur un mètre environ avant que le limiteur de régime n'entre en fonction. On aurait dit que les roues tournaient très vite, mais c'était en fait l'embrayage qui glissait. Je ne sais pas comment, mais j'avais mal relâché l'embrayage, et la puissance était arrivée aux roues arrière environ trois secondes plus tard qu'il n'aurait fallu. Je me trouvais soudain en neuvième place.

Dans le premier virage, une voiture a heurté durement l'une de mes roues avant. Dieu merci, aucun dommage. Notre réglage du châssis étant optimal quand le réservoir de carburant était plein, j'étais réconforté dans ma lutte pour rattraper le temps perdu.

J'ai pris beaucoup de plaisir à dépasser plusieurs voitures durant les premiers tours. J'en ai doublé deux ou trois à l'entrée du même virage: je me rapprochais tout près de mes rivaux, puis je montais à leur hauteur et ensuite je freinais plus tard qu'eux. Sans doute surpris par ma manœuvre, ils n'avaient pas le temps de me barrer le passage. À cause de ma grande vitesse, durant les freinages mes roues se bloquaient et fumaient plus souvent; mais c'était amusant pour moi et probablement pour les spectateurs. Toutefois, peu de téléspectateurs m'ont vu, car les caméras étaient braquées sur les meneurs. Il reste que j'ai pris beaucoup de plaisir à essayer de rattraper le temps perdu.

Au premier arrêt au stand, je me trouvais en quatrième position. Chaussée de nouveaux pneus, la voiture se maniait moins bien; il me serait donc plus difficile de rattraper les trois meneurs. Mais le peloton s'est refermé encore une fois quand deux accidents ont provoqué l'apparition sur la piste d'une voiture officielle, afin que l'on puisse s'occuper des pilotes, heureusement indemnes, et enlever leur voiture du parcours.

Mauvais départ

N'ayant pas relâché correctement l'embrayage, je me suis soudain trouvé en neuvième place. À cause de ce revers, je devrais mener une bataille féroce tout le reste de la course afin de reprendre le temps perdu. Mais le rattrapage a été un exercice exaltant.

«C'est son attitude de combattant qui m'impressionnait le plus chez lui. C'est un vrai tigre dans le cockpit.»

JONATHAN PALMER
(commentateur de la BBC et ancien pilote de Formule 1)

Il est rare de voir une voiture de sécurité monter sur la piste en Formule 1, mais c'est courant dans les courses d'IndyCar. À mon avis, ce devrait l'être aussi en Formule 1, car la voiture de sécurité oblige tous les pilotes à ralentir, ce qui réduit les risques de collision avec les voitures accidentées ou avec les commissaires de piste. Durant une lutte pour obtenir une position, la voiture de sécurité peut aider certains pilotes et nuire à d'autres; mais quand on y a fréquemment recours, les avantages sont plus équitables. Au moment où le peloton se resserre, c'est une nouvelle course qui commence aux yeux des spectateurs, et cela peut avoir une influence sur le choix du moment pour s'arrêter au stand, en plus de provoquer un changement de stratégie.

Le reste de la course n'a pas été compliqué. Mes arrêts au stand ont été parfaits, tout comme ma voiture; pourtant, ce jour-là, dix voitures seulement ont franchi la ligne d'arrivée. J'ai profité de l'abandon de deux concurrents qui me devançaient et, durant les derniers tours, je n'avais qu'à maintenir mon avance sur Jean Alesi, troisième. Paradoxalement, quand on relâche un peu l'effort, la tâche devient plus pénible parce que l'on sent la douleur et l'inconfort que la concentration intense avait fait oublier. Les passages répétés sur les cahots avaient été éprouvants; j'ai eu les talons engourdis longtemps après la course. Faible prix à payer, toutefois, pour un autre moment glorieux sur le podium.

Comme le veut la coutume, nous nous sommes arrosés de champagne sur le podium. Mais après tant d'efforts, je croyais avoir le droit d'en prendre une gorgée. L'ennui, c'est que la boisson pétillante m'est entrée dans le nez et que j'ai failli m'étouffer!

Ma deuxième position a compensé la déception que j'avais connue au Brésil. Grâce à la victoire de Damon, l'écurie Rothmans-Williams-Renault occupait pour la deuxième fois les deux premiers rangs en trois courses seulement. J'espérais connaître beaucoup d'autres jours comme celui-là bien que, à l'avenir, j'essaierais de toutes mes forces d'inverser l'ordre de nos positions.

Bonne arrivée

La lutte pour rattraper le temps perdu a été pour moi la partie la plus excitante de la course. Il était difficile mais amusant de dépasser les autres voitures, ce qui est l'essence même de la course. Ma récompense a été de monter encore une fois sur le podium.

Mon admiratrice préférée

Sandrine n'est pas vraiment une fanatique de la course. Je lui ai demandé d'examiner avec moi les résultats des tours pour qu'elle ne s'ennuie pas trop.

Sandrine

Le Grand Prix d'Argentine a été la première course de Formule 1 à laquelle Sandrine ait assisté. Elle était souvent venue m'encourager durant les courses Indy; j'ai été heureux de retrouver son soutien. Pour un pilote, il est essentiel de jouir non seulement de l'appui de son équipe, mais aussi de celui de ses proches.

Sandrine comprend mon comportement durant un week-end de course et devine mes besoins. Cela ne signifie pas qu'elle agit autrement qu'à l'accoutumée, au contraire. Le fait qu'elle soit près de moi, toujours elle-même, me donne l'impression d'être chez moi, de vivre une vie normale dans ce qui est souvent un milieu très artificiel.

Le jour, quand j'ai quelques minutes à moi, j'apprécie la présence de quelqu'un en qui j'ai confiance et avec qui je peux parler librement. Quand Sandrine est là, fût-ce quelques minutes, je peux me relaxer, et peut-être profiter d'une étreinte ou d'un baiser avant de reprendre le travail.

Au circuit, la plupart du temps, Sandrine lit. La course l'intéresse peu. Tout ce qu'elle souhaite, c'est que je réussisse et que j'évite les blessures. Elle n'a pas été enchantée de me voir entrer en Formule 1 parce que, après le décès de Roland Ratzenberger et d'Ayrton Senna, elle a pensé que c'était une série plus dangereuse que l'Indy. Je ne suis pas arrivé à lui faire changer d'idée; si quelque chose se produisait, mieux vaut qu'elle soit là.

Après une journée sur le circuit, nous allons au restaurant et parvenons à nous détacher complètement de la course. Il se peut que nous en parlions un peu, mais ce n'est pas comme si je m'entretenais avec un journaliste. Nul besoin de craindre les malentendus ou la déformation de mes propos. Avec Sandrine, c'est un dialogue véritable et franc. Elle m'aide à dissiper le stress que je ne ressens pas toujours mais qui est sûrement présent.

Chez moi à Monaco

Après le Grand Prix d'Argentine, je suis rentré passer quelques jours chez moi. Quand on mène une vie aussi trépidante que la mienne, on se moque pas mal de l'endroit où l'on habite, pourvu que ce ne soit pas une chambre d'hôtel. J'ai besoin d'un lieu où je me sente chez moi, où mes amis puissent me rendre visite et où je puisse m'adonner à d'autres activités que la course. Il est essentiel de se sentir à l'aise chez soi, car si vous n'êtes pas heureux là où vous menez votre vie privée, où donc le serez-vous?

J'aime vivre en Europe, avec sa pluralité de cultures et de mentalités, avec ses langues et ses cuisines multiples. Il est agréable de vivre dans une société moins braquée sur les affaires que l'Amérique du Nord, où j'ai habité ces dernières années. D'une certaine façon, il me semble que, contrairement aux Européens, les Américains préfèrent le travail à la vie. Le travail est important, c'est sûr, mais les heures de détente et de loisirs le sont aussi. Quel bonheur d'avoir établi son foyer dans une région attrayante! Qu'elle est belle cette Côte d'Azur! Enfant, je ne m'en rendais même pas compte. Mais après avoir vécu ailleurs dans le monde, j'en suis venu à apprécier davantage ce coin d'Europe.

Quand j'ai quitté les États-Unis pour revenir à Monaco avant le début de la saison, j'ai cherché un appartement qui soit paisible et d'accès facile. J'en ai trouvé un où, du balcon, j'ai une vue magnifique sur le port et sur la mer. Les quelques meubles que je possède sont modernes. Mon appartement restera relativement vide, de sorte que l'espace dont je dispose me paraîtra plus vaste. Je ne veux pas m'encombrer d'objets inutiles.

Parfois, c'est la pagaille dans mon logis, tout traîne sur le sol. Quand je n'arrive plus à trouver ce que je cherche, il faut bien mettre un peu d'ordre. J'essaie d'éviter les gâchis; j'accorde beaucoup d'importance à la propreté. Je me brosse les dents

Autres champs d'intérêt

J'ai parfois besoin de m'évader du milieu de la course. Je ne me ferme pas au monde pour autant; je m'adonne à d'autres activités que la course. Il est important de s'éloigner de son métier pour pouvoir s'y replonger dans une perspective renouvelée. Le fait de s'enfermer trop longtemps dans la même activité peut nous rendre aveugles à ce qui nous entoure. L'escapade nous ouvre les yeux et nous fait voir des choses qui nous étaient invisibles auparavant.

chaque fois que je mange; même pendant une course, je dois me brosser les dents après le repas, avant de remettre mon casque.

Je n'habite pas très loin de chez ma mère, à qui je rends souvent visite, pour bavarder mais aussi pour prendre un bon repas. Je sais cuisiner – les pâtes surtout –, mais certains trouvent mes plats plutôt indigestes. Je ne suis pas un oiseau du matin, mais je me force à me lever tôt parce qu'il me faut le faire durant les courses. J'aime préparer mon petit déjeuner en écoutant mes disques; je mange parfois du pain perdu, des céréales, des œufs et du bacon, en buvant un chocolat chaud. Après le petit déjeuner, j'écoute de la musique, je lis, je joue sur mon ordinateur ou je parle au téléphone.

Le nombre de minutes que je passe l'oreille collée au combiné est étonnant. Malheureusement, certaines personnes ne comprennent pas que, quand j'ai la chance d'être chez moi, je veuille faire les choses qui me manquent et que je n'aie que deux ou trois jours à moi. J'aime bavarder avec mes amis au téléphone, mais parfois je veux tout simplement me détendre sans parler à personne, et surtout pas de course automobile.

L'après-midi, je me livre à des activités sportives, mais sans exagérer. Si je m'entraînais six heures par jour tous les jours, il est probable que je deviendrais fou. Je fais du jogging et du patin à roues alignées dans les sentiers qui longent la mer. Monaco est le paradis des sportifs. Je joue au tennis, souvent avec un ami, et il y a un gymnase à mon club de tennis. Mais au lieu de soulever des haltères ou de pédaler dans une salle, je préfère m'adonner à une activité qui fait aussi appel à l'esprit, comme le tennis et le ski. C'est moins ennuyeux, et on se forme l'esprit en même temps que le corps.

Il m'arrive d'aller dîner, souper ou prendre un verre avec des amis. J'aime boire une bière le soir, parfois même durant un week-end de course, mais j'en prends rarement plus d'une. Je ne suis pas attiré par l'alcool, même s'il n'y a pas de mal à se laisser aller une fois de temps en temps. Le soir, même quand je souhaite me coucher vers 22 h, la plupart du temps il est 2 h du matin avant que je me mette au lit. Il y a tellement de choses que je veux faire avant de dormir! Absorbé par la musique, la lecture ou l'ordinateur, je perds la notion du temps.

Les rochers de Monaco

Je suis heureux de vivre dans l'une des plus belles régions du globe.

À Monaco, je peux faire du patin à roues alignées sur les sentiers

qui longent la mer.

Gagner

Nul besoin d'arriver premier pour se sentir gagnant. Si je lutte farouchement durant la course, que je me bats roues contre roues avec mes rivaux, je remporte une bataille personnelle, quel que soit mon classement à la ligne d'arrivée.

La victoire est plus importante que tout, c'est sûr, mais elle ne donne pas autant de sensations fortes que le fait de pousser ses propres capacités jusqu'à leur limite. Il y a un moment d'euphorie après la victoire, mais ce n'est pas la même chose. Le pilote qui domine la course du début à la fin ne ressent aucune poussée d'adrénaline. Moi, j'ai besoin des deux. Si je ne gagnais pas je me sentirais frustré, et si je n'éprouvais pas de sensations fortes, je m'ennuierais.

Le fait que je sois coureur professionnel et que ce soit mon métier de remporter des victoires m'enlève une partie de mon plaisir durant les courses. Si je fais du karting avec des amis, je suis au septième ciel, car ni le tête-à-queue ni la défaite n'ont d'importance. Mais comme pilote de Formule 1, il faut être plus sérieux. Il faut que la recherche des sensations fortes passe au second rang, voire qu'elle disparaisse.

Le Grand Prix d'Argentine – 7 avril 1996

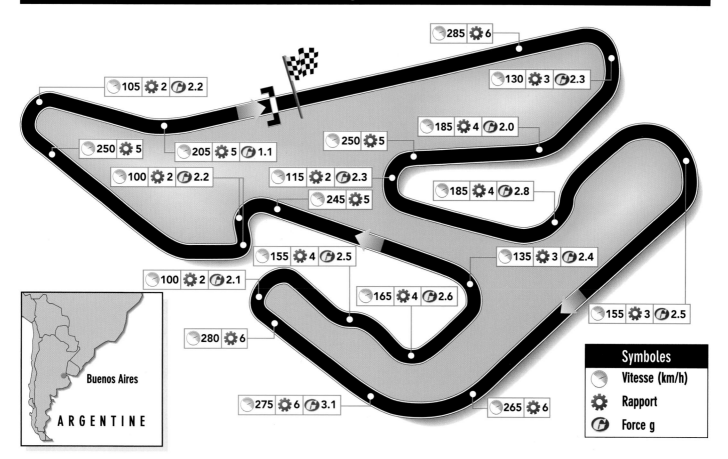

Buenos Aires

ARGENTINE

Symboles

Vitesse (km/h)	
Rapport	
Force g	

Temps de qualification

RANG	PILOTE	ÉCURIE	TEMPS
1	HILL	Williams-Renault	1:30,346
2	SCHUMACHER	Ferrari	1:30,598
3	VILLENEUVE	Williams-Renault	1:30,907
4	ALESI	Benetton-Renault	1:31,038
5	BERGER	Benetton-Renault	1:31,262
6	BARRICHELLO	Jordan-Peugeot	1:31,404
7	VERSTAPPEN	Footwork-Hart	1:31,615
8	HAKKINEN	McLaren-Mercedes	1:31,801
9	COULTHARD	McLaren-Mercedes	1:32,001
10	IRVINE	Ferrari	1:32,058
11	FRENTZEN	Sauber-Ford	1:32,130
12	PANIS	Ligier-Mugen-Honda	1:32,177
13	KATAYAMA	Tyrrell-Yamaha	1:32,407
14	MARQUES	Minardi-Ford	1:32,502
15	BRUNDLE	Jordan-Peugeot	1:32,696
16	SALO	Tyrrell-Yamaha	1:32,903
17	HERBERT	Sauber-Ford	1:33,256
18	DINIZ	Ligier-Mugen-Honda	1:33,424
19	LAMY	Minardi-Ford	1:33,727
20	ROSSET	Footwork-Hart	1:33,752
21	BADOER	Forti-Ford	1:34,830
22	MONTERMINI	Forti-Ford	1:35,651

Résultats de la course

RANG	PILOTE	TOURS	ÉCART	TEMPS
1	HILL	72		1:54:55,322
2	VILLENEUVE	72	12,167	1:55:07,489
3	ALESI	72	14,754	1:55:10,076
4	BARRICHELLO	72	55,131	1:55.50,453
5	IRVINE	72	1:04,991	1:56:00,313
6	VERSTAPPEN	72	1:08,913	1:56:04,235
7	COULTHARD	72	1:13,400	1:56:08,722
8	PANIS	72	1:14,295	1:56:09,617

Points des constructeurs

CONSTRUCTEUR	POINTS	CUMULATIF
Williams-Renault	16	42
Benetton-Renault	4	13
Ferrari	2	10
McLaren-Mercedes	0	5
Jordan-Peugeot	3	3
Tyrrell-Yamaha	0	3
Footwork-Hart	1	1
Ligier-Mugen-Honda	0	1

Points des pilotes

PILOTE	POINTS	CUMULATIF
HILL	10	30
VILLENEUVE	6	12
ALESI	4	10
IRVINE	2	6
HAKKINEN	0	5
SCHUMACHER	0	4
BERGER	0	3
BARRICHELLO	3	3
SALO	0	3
PANIS	0	1
VERSTAPPEN	1	1

Meilleurs temps

VITESSE DU GAGNANT:

Damon Hill 160,013 km/h

TOUR LE PLUS RAPIDE:

Jean Alesi 1:29,413

171,478 km/h

Le Grand Prix d'Europe

 Nürburgring, Allemagne

Franchir le premier la ligne d'arrivée et remporter ainsi le Grand Prix d'Europe a été pour moi un moment mémorable; il fallait voir tous les membres de l'équipe Williams–Renault, qui, au stand de ravitaillement, agitaient les bras et m'acclamaient. Ma première victoire de Formule 1 n'aurait pas été possible si l'un d'entre nous avait commis la moindre erreur; nous avons donc tous savouré la satisfaction d'un travail bien fait.

Mais ce moment fut éphémère, surtout à cause de mes activités d'après-course, presque aussi trépidantes que la course elle-même: me précipiter vers le podium, recevoir le trophée, me faire arroser de champagne, me rendre aux conférences de presse, donner des entrevues en plusieurs langues, signer des autographes et que sais-je encore.

Avant le Grand Prix d'Europe, je me trouvais dans des circonstances propices à un bon résultat. Fort de l'expérience vécue durant mes trois premières compétitions, où j'avais montré que j'étais à la hauteur et où j'avais fini deux fois en deuxième place, mon assurance était grande et mes attentes, élevées; quant à notre esprit d'équipe aussi, il était on ne peut plus solide.

« Jacques a livré une course fantastique, sans commettre d'erreur. Il m'était impossible de le doubler. Nous nous sommes livré un dur combat, très serré. **»**

MICHAEL SCHUMACHER
(*champion du monde en titre*)

Pour qu'une écurie travaille bien et réussisse, il faut surtout que le courant passe. Et dans la nôtre, il passait plus que jamais. Meilleure est l'harmonie entre les membres de l'équipe, plus ceux-ci deviennent productifs. À mesure que notre relation de travail se consolidait, Jock Clear, mon ingénieur, et les autres mécaniciens avaient le sentiment que nous devenions vraiment une équipe soudée. Après des essais des plus encourageants en Espagne, où nous avons apporté à la voiture quelques modifications qui allaient améliorer notre rendement plus tard dans la saison, nous étions, avant la quatrième course, plus optimistes que jamais.

Sur le plan personnel, j'étais heureux d'être de retour en Europe et de passer quelques jours chez moi, à Monaco, où je n'avais pour ainsi dire pas mis les pieds depuis le début de la saison. J'ai célébré mon vingt-cinquième anniversaire (le 9 avril) en compagnie de ma chère Sandrine et de quelques amis. La fête a été calme – nous avons soupé, pris quelques verres et écouté de la musique à la maison – parce qu'elle ne devait pas compromettre le sérieux programme d'entraînement qu'il me fallait reprendre. De toute façon, 25 ans, c'est un âge comme les autres. Si l'année était de 13 mois au lieu de 12, je n'aurais même pas 24 ans, mais mes os seraient aussi vieux.

J'ai pris des cours de piano parce que, même s'il est agréable de jouer d'oreille, ce l'est encore plus quand on se forme et qu'on en apprend davantage sur la musique. J'ai aussi trouvé tous les composants nécessaires pour monter mon propre ordinateur. Le propriétaire du magasin d'informatique m'a prévenu que la tâche serait ardue pour quelqu'un dont c'était la première expérience. Mais quand il a appris que j'avais réussi à faire fonctionner mon ordinateur en moins de trois heures, il m'a offert en plaisantant de travailler pour lui!

J'avais déjà du travail et je suis parti en Allemagne. J'avais hâte de voir le tracé original du Nürburgring. C'était LE circuit de Formule 1, celui où les héros avaient écrit les plus belles pages de l'histoire de la course automobile. J'ai donc été déçu de le trouver fermé à toute circulation durant le week-end de la course. J'ai parcouru pour la première fois, en scooter, le nouveau circuit du Nürburgring, où l'épreuve se tiendrait. Mais il faisait si froid que, après trois tours seulement, j'ai dû abandonner, à moitié gelé!

Le jeudi, quand je suis retourné au circuit, j'avais oublié mon laissez-passer; il m'a fallu convaincre le préposé à la barrière de me laisser entrer. Quand je lui ai expliqué que je conduisais pour l'équipe Williams, il m'a demandé si c'était un camion ou la limousine de Frank Williams que je conduisais. Il croyait qu'un pilote de Formule 1

La formule gagnante

En ce qui concerne les épreuves d'IndyCar, comme nous étions tous des néophytes, les attentes étaient moins élevées. Je me suis lancé dans ces épreuves avec une nouvelle équipe et une nouvelle voiture; c'était pour moi tout un saut à faire de la Formule Atlantique. Je suis arrivé en Formule 1 avec une équipe chevronnée, déjà bien établie, et une voiture solide. Les réglages de celle-ci avaient été éprouvés l'année précédente. Tout allait pour le mieux. En Formule 1, je me sentais sans doute davantage obligé de donner immédiatement un bon rendement. Mais il n'est pas facile de gagner, quel que soit le type de compétition; si c'était le cas, les participants y seraient bien plus nombreux.

devait être plus costaud et plus âgé; il a donc été surpris quand quelqu'un lui a dit qui j'étais. Certains pilotes s'énervent dans de telles situations. Moi, je suis heureux de ne pas être reconnu, et j'ai trouvé cet incident plutôt amusant.

Vu du cockpit de notre Williams-Renault, le tracé s'est révélé moins compliqué que ceux du Brésil ou d'Argentine. À part deux virages un peu plus difficiles, la piste est assez droite – il suffit de freiner et de tourner le volant, droite/gauche et gauche/droite – et sans bosses, ce qui représente pour le pilote un changement agréable par rapport aux pistes d'Amérique du Sud. Bref, la nouvelle configuration du Nürburgring, comprenant aussi des endroits où il serait possible de freiner plus tard que l'adversaire, semblait promettre une course excitante.

Du fait que l'étape d'apprentissage était plus courte, nous pouvions commencer plus tôt les réglages de la voiture. Cela aussi devenait plus facile pour nous, parce que, désormais habitués à travailler en équipe, nous étions plus solides sur le plan personnel et sur le plan mécanique. Sûrs de nous, nous avons commencé à nous entraîner. Une deuxième position sur la grille de départ, à côté de mon coéquipier Damon, me semblait prometteuse et, compte tenu du fait que nos réglages de course étaient encore meilleurs que nos réglages de qualification, nous avions de bonnes chances de remporter la victoire.

Il m'a été plus facile de prendre la tête du fait que Damon a été lent à se détacher du peloton (il est arrivé quatrième); je me suis vite trouvé à bonne distance du reste de la meute. Avant l'apparition de Michael Schumacher, l'épreuve était quasiment ennuyeuse, car je menais sans proche rival. Je ne m'en plaignais pas, ma tâche n'en étant que plus facile, mais il est plus stimulant d'avoir un adversaire contre qui lutter. Par exemple, quand vous faites du karting avec des

Départ fulgurant

Dans la précipitation générale vers le premier virage, j'ai été très étonné de trouver David Coulthard à mes côtés; j'ai cru qu'il allait freiner plus tard que moi. Mais tout s'est passé correctement; par la suite, c'est à Michael que j'ai dû livrer bataille.

amis et que vous vous trouvez tout à coup seul à faire le tour de la piste, vous ralentissez pour les attendre de manière à susciter un peu de compétition.

Je n'ai pas eu à ralentir pour que Michael, qui roulait à fond de train, me rattrape. L'épreuve se déroulant devant ses compatriotes, il s'est montré particulièrement inspiré et s'est battu vigoureusement durant toute la course. Vu nos réglages de course, la Williams-Renault pouvait atteindre une plus grande vitesse que la Ferrari de Michael dans les droits, mais, comme il pouvait freiner plus fort que moi et prendre les virages plus vite, sur un tour complet nos deux voitures se valaient.

Michael a rarement eu plus d'une seconde de retard sur moi et, quand nous doublions le peloton, il en avait moins que cela. À certains moments, il se trouvait trop près de moi pour mon goût, mais c'était amusant, bien que je n'aurais pas trouvé drôle de le voir me dépasser! Mener la course ne me rendait pas nerveux et ne m'inspirait aucune crainte. Le pilote qui se trouve en deuxième position ne craint ni l'erreur ni la panne, alors pourquoi le meneur les craindrait-il?

La pression

La pression qu'exerçait sur moi la proximité de Michael m'obligeait à rester alerte. Nos voitures étaient de force égale, et il n'y avait aucune place pour l'erreur.

Tactiques sur la piste

Quand une voiture vous suit de près, il vous faut rester très alerte quand vous doublez les voitures moins rapides. Quand les voitures devant vous sont lentes, vous devez déterminer le moment opportun pour agir. Par exemple, si vous roulez trop près d'une voiture lente au mauvais endroit avant d'entrer dans un virage, vous sortirez trop lentement de ce virage. C'est alors que le pilote qui vous suit tentera de vous doubler. C'est ce que Michael a fait plusieurs fois au Nürburgring quand nous doublions le peloton, mais j'ai pu le contenir.

Une tâche à accomplir

Williams est une équipe gagnante, munie d'une voiture championne. Tout y est pour assurer la victoire. On ne paie pas le pilote pour qu'il se la coule douce, mais pour qu'il donne le meilleur de lui-même, tout ce qu'il a. L'équipe est là; la voiture aussi. Il ne me reste plus qu'à faire mon travail.

La sensation de gagner

La victoire, comme je l'ai appris en IndyCar, crée une dépendance; on en veut toujours d'autres. À une certaine époque, j'aurais été satisfait rien que de monter sur le podium d'un Grand Prix; désormais, seule la victoire pouvait me contenter.

Je n'avais pas de peine à rester concentré: je voyais dans mon rétroviseur Michael qui me talonnait: la moindre erreur de ma part lui aurait permis de me dépasser. Affronter une telle pression, même si elle multiplie les risques, est beaucoup plus satisfaisant que de simplement mener la course avec une longue avance.

Est venu ensuite le moment d'euphorie à la ligne d'arrivée. Quel bonheur de me trouver sur la marche la plus élevée du podium et de voir tous les membres de mon équipe sauter de joie. J'ai été fier d'entendre jouer l'hymne national du Canada. Même si je ne cours pas pour mon pays, mais pour moi-même et pour mon équipe, je suis quand même fier de représenter le Canada.

La victoire, quelle que soit l'épreuve, procure une intense satisfaction; mais, quand j'ai remporté ma première course de Formule 1, et qui plus est si tôt dans ma carrière, j'ai été comblé. Le bonheur a été complet pour mon équipe aussi, parce que nous nous étions tous décarcassés depuis le début de la saison pour demeurer compétitifs. Remporter la quatrième course nous a largement récompensés.

Après avoir quitté le podium, j'ai rencontré les douzaines de journalistes qui se pressaient autour de moi. Presque agressifs, ils me flanquaient micros et magnétophones sous le nez. Quand la situation

Manœuvres de dépassement

La circulation était dense sur la piste du Nürburgring; quand Michael et moi doublions les voitures plus lentes, il arrivait à se rapprocher de moi. Il était vital que j'évalue avec la plus grande prudence chacune de ses manœuvres de dépassement.

Fête au champagne

La victoire, quelle que soit l'épreuve,
procure une intense satisfaction;
mais, quand j'ai remporté ma
première course de Formule 1, et
qui plus est si tôt dans ma carrière,
j'ai été comblé. Me faire arroser de
champagne par Michael et David
faisait partie du plaisir de la fête.

devient à ce point agitée, j'ai toujours envie de prendre mes jambes à mon cou. Mais il n'y avait pas moyen de fuir. Sur le chemin de l'hôtel, des meutes d'amateurs se bousculaient. Quand le nombre de fans est raisonnable, j'aime bien m'arrêter pour signer des autographes; mais quand des centaines de personnes s'agglutinent autour de moi, un sentiment de panique m'envahit.

Certains ont été plus excités que moi par ma première victoire en Formule 1. Pendant qu'eux observaient la course, moi je conduisais mon bolide et je faisais mon travail. On ne me paie pas pour que j'essaie de gagner, mais pour que je gagne. C'est mon job.

Lorsque l'on a remporté une victoire – en faisant son travail –, il ne faut pas la ressasser pendant des jours en se disant à quel point on est brillant. Si l'on agit ainsi quand on gagne, il faudrait aussi se dénigrer soi-même quand on perd ou se trouver stupide d'avoir commis une erreur durant la course. En réalité, les erreurs me hantent sans doute plus longtemps que les victoires, parce qu'il faut s'en souvenir pour apprendre et éviter de les répéter.

Bon. J'ai gagné. La vie continue. Il ne faut pas s'attarder trop sur le passé. La fête a été agréable mais brève. À cause de bouchons sur la route, nous avons manqué notre vol en direction de Monaco et n'avons pu nous rendre qu'à Genève. C'est là que, avec Craig Pollock et Michael Aymon, un ami de Villars, nous avons pris un verre de vin et avons commencé à concentrer toute notre attention sur la prochaine épreuve.

Le Grand Prix d'Europe – 28 avril 1996

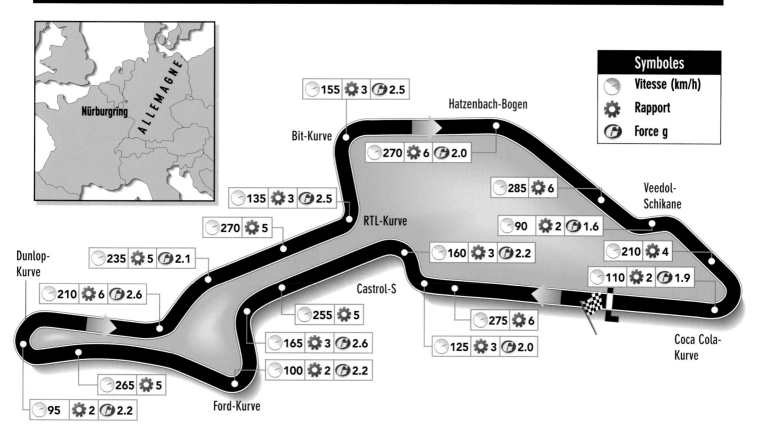

Symboles

Vitesse (km/h)	
Rapport	
Force g	

Nürburgring
ALLEMAGNE

Hatzenbach-Bogen
Bit-Kurve
Veedol-Schikane
RTL-Kurve
Castrol-S
Coca Cola-Kurve
Dunlop-Kurve
Ford-Kurve

RANG	PILOTE	ÉCURIE	TEMPS
Temps de qualification			
1	HILL	Williams-Renault	1:18,941
2	VILLENEUVE	Williams-Renault	1:19,721
3	SCHUMACHER	Ferrari	1:20,149
4	ALESI	Benetton-Renault	1:20,711
5	BARRICHELLO	Jordan-Peugeot	1:20,818
6	COULTHARD	McLaren-Mercedes	1:20,888
7	IRVINE	Ferrari	1:20,931
8	BERGER	Benetton-Renault	1:21,054
9	HAKKINEN	McLaren-Mercedes	1:21,078
10	FRENTZEN	Sauber-Ford	1:21,113
11	BRUNDLE	Jordan-Peugeot	1:21,177
12	HERBERT	Sauber-Ford	1:21,210
13	VERSTAPPEN	Arrows-Hart	1:21,367
14	SALO	Tyrrell-Yamaha	1:21,458
15	PANIS	Ligier-Mugen-Honda	1:21,509
16	KATAYAMA	Tyrrell-Yamaha	1:21,812
17	DINIZ	Ligier-Mugen-Honda	1:22,733
18	FISICHELLA	Minardi-Ford	1:22,921
19	LAMY	Minardi-Ford	1:23,139
20	ROSSET	Arrows-Hart	1:23,620

Résultats de la course

RANG	PILOTE	TOURS	ÉCART	TEMPS
1	VILLENEUVE	67		1:33:26,473
2	SCHUMACHER	67	0,762	1:33:27,235
3	COULTHARD	67	32,834	1:33:59,307
4	HILL	67	33,511	1:33:59,984
5	BARRICHELLO	67	33,713	1:34:00,186
6	BRUNDLE	67	55,567	1:34:22,040
7	HERBERT	67	1:18,027	1:34:44,500
8	HAKKINEN	67	1:18,438	1:34:44,911
9	BERGER	67	1:21,061	1:37:47,534
10	DINIZ	66	1 tour	
11	ROSSET	65	2 tours	
12	LAMY	65	2 tours	
13	FISICHELLA	65	2 tours	

Points des constructeurs

CONSTRUCTEUR	POINTS	CUMULATIF
Williams-Renault	13	55
Ferrari	6	16
Benetton-Renault	0	13
McLaren-Mercedes	4	9
Jordan-Peugeot	3	6
Tyrrell-Yamaha	0	3
Ligier-Mugen-Honda	0	1
Footwork-Hart	0	1

Points des pilotes

PILOTE	POINTS	CUMULATIF
HILL	3	33
VILLENEUVE	10	22
ALESI	0	10
SCHUMACHER	6	10
IRVINE	0	6
HAKKINEN	0	5
BARRICHELLO	2	5
COULTHARD	4	4
BERGER	0	3
SALO	0	3
PANIS	0	1
VERSTAPPEN	0	1
BRUNDLE	1	1

Meilleurs temps

VITESSE DU GAGNANT:
Jacques Villeneuve 196,006 km/h

TOUR LE PLUS RAPIDE:
Damon Hill 1:21,363
201,585 km/h

Le Grand Prix de Saint-Marin

 Imola, Italie

J'ai quasiment eu envie de rire quand j'ai dû abandonner le Grand Prix de Saint-Marin quelques tours avant la fin. Avoir connu des ennuis au premier tour, être dégringolé en dernière place, avoir réussi à revenir dans le peloton de tête et être ensuite obligé de m'arrêter avant de franchir la ligne d'arrivée — je ne pouvais considérer tout cela que comme une plaisanterie cruelle.

J'avais hâte de courir à Imola. Pour la première fois, c'était un circuit que nous connaissions, pour y avoir fait des essais en Williams-Renault avant la saison et pour avoir couru pendant trois ans dans le championnat italien de Formule 3. De plus, ayant remporté la victoire au Nürburgring le week-end précédent, nous avions le moral.

Vu le court intervalle entre les courses, je n'ai pu passer que quelques heures à la maison, avant d'aller chercher Sandrine, arrivée du Canada, et de me rendre à Imola. J'aime voyager en voiture, même si c'est plus long qu'en avion. Je déteste les inconvénients des voyages en avion: il faut se rendre à l'aéroport, garer sa voiture, enregistrer ses bagages, passer aux douanes, attendre le départ, débarquer à l'aéroport de destination, passer de nouveau aux douanes, attendre les valises, louer une voiture, et ainsi de suite.

On peut éviter tout cela si on voyage en voiture. Sur la route d'Imola, cette sensation d'indépendance m'a rappelé les années où je me rendais toujours aux circuits italiens dans ma voiture. J'aime ce pays, et je parle l'italien presque aussi bien que l'anglais. Le français étant ma langue principale, j'ai tendance à penser en français. Mais je lis surtout en anglais, car c'est dans cette langue que j'ai appris à lire. Il nous arrive, à Sandrine et à moi, de discuter en anglais de certains sujets.

Notre voyage a été agréable. Sandrine et moi avons bavardé, en écoutant les disques que nous avions emportés. Nous avons admiré le paysage, nous arrêtant souvent pour prendre un café. Nous avons pris notre temps. Je conduis prudemment sur les voies publiques, surtout quand j'ai un passager, dépassant à peine la limite de vitesse. Nous avons fait le trajet Monaco-Imola en quatre heures environ.

Havre de paix

Dans le monde de la Formule 1, la succession des chambres d'hôtel peut être éprouvante. Il faut donc chercher des hôtels où l'atmosphère est agréable. Mais si le confort de l'endroit est apprécié, il ne fait pas oublier au pilote les frustrations d'une course.

Sur le circuit, l'adaptation a été rapide. La piste m'étant familière, je connaissais les limites à ne pas franchir au lieu de devoir perdre du temps à les découvrir; ainsi, dès le début des essais, j'avais la cadence. C'était naguère une piste beaucoup plus intéressante. Aujourd'hui, sauf pour deux beaux virages à haute vitesse, les chicanes qui y ont été intégrées à des fins sécuritaires rendent le circuit d'Imola un peu ennuyeux pour le pilote.

Les épreuves de qualification ont été serrées, ce qui les a rendues plus excitantes pour les spectateurs et pour nous. Ma bataille contre Michael Schumacher et contre Damon a duré jusqu'aux dernières minutes. Au dernier tour, j'ai vraiment foncé, mais ayant légèrement dérapé dans le dernier virage, j'ai perdu quelques dixièmes de seconde et obtenu la troisième position sur la grille de départ. Cependant, je savais que ma voiture était solide et, durant le tour de chauffe, elle semblait l'être plus que jamais. J'avais le sentiment que tout irait bien durant la course. Ce sentiment n'a pas tardé à se dissiper.

Mon départ a été plutôt moyen. Mais les pilotes qui se trouvaient devant moi n'ayant pas démarré aussi vite que certains de ceux qui étaient derrière moi, je me suis trouvé pris dans un goulet d'étranglement dont il me fallait me dégager. En arrivant au premier virage, j'ai réussi à freiner plus tard que Jean Alesi et à me placer à côté de lui. Nos roues se sont entrechoquées, sans dommage, et j'ai pu, grâce à une meilleure accélération, le devancer un tout petit peu avant le virage suivant. Puis Jean m'a heurté de nouveau, de l'arrière, et ma voiture a décollé pendant un instant. L'aileron avant de sa voiture a dû entailler mon pneu, parce qu'il s'est dégonflé quelque 300 mètres plus loin. Tout a bien été jusqu'au moment où une pression s'est exercée sur le pneu quand j'ai freiné dans un virage. Le pneu s'est détaché de la roue. Dès lors, je roulais en tricycle; je me suis vite trouvé sur la pelouse. J'ai pu repartir, mais je ne pouvais rien faire d'autre que de me diriger vers le stand.

Ce revers – une course si prometteuse compromise par un stupide incident – était fort irritant. Jean et moi en avons parlé plus tard. Nous nous sentions frustrés, parce que la course avait ainsi été bousillée pour lui comme pour moi. Nos versions respectives de l'incident étaient différentes, chacun de nous étant convaincu d'avoir raison. Pourvu qu'il ne se reproduise pas, disons qu'il s'agissait d'un simple accident de parcours.

Je n'avais pas le temps de me mettre en colère pour ce qui s'était produit, parce que essayer de rattraper les autres allait nécessiter toute ma concentration. Après mon lent retour au stand de ravitaillement, les mécaniciens ont remplacé le pneu et je suis remonté sur la piste au volant d'une voiture qui me semblait de nouveau solide. Il fallait qu'elle le soit, car je me trouvais en dernière position, avec presque un tour de retard sur les meneurs.

Pour rattraper le temps perdu, il me fallait pousser mon bolide le plus fort possible, tout en essayant d'économiser le carburant et de ménager les pneus entre les arrêts au stand, et en n'exerçant pas trop de contraintes sur la mécanique de la voiture, afin de me remettre en position de gagner des points. En faisant des tours très rapides, parfois plus rapides que ceux des meneurs, j'ai pu remonter en sixième position. Comme Damon menait, notre équipe

Un revers au départ

Le départ d'une course est toujours un moment difficile. Cette fois-là, la voiture qui m'a heurté de l'arrière a causé des dommages qui ont compromis ce qui aurait pu être pour moi une très bonne course. Ce n'était qu'un accident de parcours, mais un accident fort irritant.

verrait s'ajouter un point à sa fiche, pourvu que nous restions tous deux dans la course jusqu'à la fin. Malheureusement, ce ne serait pas le cas. À cinq tours de la fin, un élément mécanique s'est brisé à l'arrière de ma voiture. C'en était fini pour moi du Grand Prix de Saint-Marin.

C'était l'une de ces journées où tout va mal et qu'il faut prendre avec philosophie. J'ai été heureux de pouvoir rattraper le temps perdu et de me trouver de nouveau dans la course. Mon retour a également été productif dans le sens où j'ai dû réviser ma stratégie et m'adapter aux nouvelles circonstances, ce qui allait pouvoir m'être utile plus tard.

Période éprouvante

Après le Grand Prix de Saint-Marin, nous sommes restés à Imola pour une séance d'essais. C'était dur de parcourir le même circuit après un week-end de

Retour contrecarré

Après un arrêt non prévu au stand pour faire réparer ma voiture, j'ai pu rattraper le temps perdu et mener le train sur plusieurs tours. Piètre consolation pour n'avoir pas terminé la course.

À la limite

J'aime la sensation d'être à la limite, de foncer au maximum. Le plus grand plaisir, c'est de sentir, dans un virage, la voiture qui devient légère – à la limite du dérapage – et d'arriver à la maintenir dans cette situation d'équilibre. C'est encore plus agréable quand on réussit à comprendre les réactions de la voiture, afin d'y apporter des modifications susceptibles de repousser encore cette limite.

On se demande jusqu'où on peut pousser la voiture. On sent que l'on est en équilibre et qu'il faudrait bien peu pour cesser de l'être, que le moindre mouvement peut influer sur cette position. Mais on continue de pousser la voiture. C'est une sensation formidable même quand on roule seul sur la piste. Quand on réussit à boucler un tour très rapide et à prendre un virage plus vite que les autres, on a la preuve que l'on fait quelque chose de spécial.

Quand on a vécu ce moment exaltant et qu'on y repense, on a le visage souriant. On sait que l'on a fait quelque chose de spécial. Les autres diront que c'était fou, mais on sait que l'on était en pleine maîtrise de la situation. Même si personne ne vous voit – par exemple, quand la voiture dérape un peu dans un virage et qu'on réussit à la garder sur la piste –, on a le cœur qui bat à tout rompre, on se sent noyé dans l'adrénaline et, de retour au stand de ravitaillement, on arbore un large sourire parce que l'on se dit: «C'était super!»

course frénétique; ces séances sont toujours très éprouvantes. Normalement, il faut se lever à 7 h, arriver au circuit à 8 h pour déjeuner et se préparer à courir à 9 h. Parfois on parcourt toute la distance de la course; parfois on s'arrête tous les deux ou trois tours pour modifier quelque chose ou pour discuter avec les ingénieurs. S'ils apportent une modification majeure à la voiture, cela peut prendre deux heures, et l'on doit attendre. On prend ensuite le déjeuner, qu'il faut consommer et digérer vite, parce qu'on remonte en voiture sans tarder et que l'on court jusqu'à 18 h. Ensuite on discute de nouveau avec les ingénieurs, puis on rentre à l'hôtel vers 20 h.

On mange vite et on remonte dans sa chambre. J'écoute parfois de la musique ou je lis pendant une demi-heure, puis je m'effondre dans mon lit, car la course reprendra quelques heures plus tard.

Durant les essais, les commentaires que l'on fait aux ingénieurs sont d'une importance capitale parce que ceux-ci s'en remettent au pilote pour obtenir les renseignements dont ils ont besoin pour régler la voiture. Je n'utilise pas de termes techniques quand je leur parle. En tant que pilote, on a son idée sur les raisons qui font que la voiture se comporte de telle ou telle manière, mais on ne discute pas vraiment de points techniques avec les ingénieurs. Connaître les chiffres et les réglages ne fait pas partie de mon travail, alors je me contente de parler du rendement de ma voiture, de son comportement après que les modifications sont apportées.

Je m'intéresse à la dimension technique du sport, mais je ne veux pas m'encombrer l'esprit de tous ces détails. Durant les tests, mon travail consiste à piloter la voiture, à en tirer le maximum, non pas à 95 p. 100, mais à près de 100 p. 100. Le pilote ne peut pas toujours concentrer toute son attention sur le pilotage, car il doit réserver une place dans son

Foncer sur la piste

Durant les essais, le pilote doit conduire presque aussi intensément que durant une course, parce que, s'il ne roule pas assez vite, il ne peut pas se faire une idée complète de la situation.

Réflexion

Les essais constituent également un exercice mental. Il faut réfléchir aux réactions de la voiture, les comprendre et les décrire aux ingénieurs, afin que des améliorations puissent être apportées.

cerveau pour penser aux réactions de la voiture. Mais il faut rouler vite, sinon on ne peut pas se faire une idée complète de la situation. Ensuite, on essaie de faire comprendre aux ingénieurs ce que l'on a ressenti et ce que l'on veut.

Quand on court sur une piste ovale en IndyCar, on apprend à être patient et à déterminer où se trouve la fameuse limite. On ne peut être exactement à la limite – et risquer de frapper un mur –; il faut donc apprendre à s'en approcher sans toutefois la franchir. C'est surtout sur les longues pistes ovales, plus rapides (les «Superspeedways») que l'on apprend à être sensible au comportement de la voiture, parce que, à haute vitesse, la moindre modification apportée à la voiture se perçoit beaucoup plus que sur les circuits plus lents. C'est donc là une bonne expérience à posséder, surtout pour les réglages de la voiture.

Je préfère une voiture dont la maniabilité est prévisible et la suspension plus dure que molle, car il est plus difficile de pousser une voiture à sa limite quand la suspension est molle. L'objectif est d'en arriver à un bon équilibre entre l'avant et l'arrière de la voiture. Mais si je dois choisir entre survirer et sous-virer, je préfère que l'arrière soit un peu plus léger, mais pas au point de toujours survirer. Je conduis avec plus de précision quand l'arrière de ma voiture est plus léger que l'avant. Si l'arrière est très léger, la voiture a davantage tendance à se mettre de travers dans les virages. Le pilote se trouve alors plus près de la limite, mais cette limite peut être repoussée, ce qui rend la conduite encore plus agréable.

Le Grand Prix de Saint-Marin – 5 mai 1996

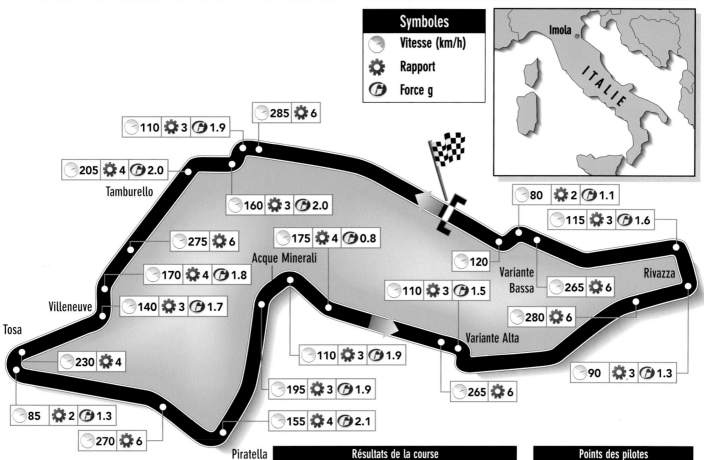

Symboles

- Vitesse (km/h)
- Rapport
- Force g

ITALIE — Imola

Temps de qualification			
RANG	PILOTE	ÉCURIE	TEMPS
1	SCHUMACHER	Ferrari	1:26,890
2	HILL	Williams-Renault	1:27,105
3	VILLENEUVE	Williams-Renault	1:27,220
4	COULTHARD	McLaren-Mercedes	1:27,688
5	ALESI	Benetton-Renault	1:28,009
6	IRVINE	Ferrari	1:28,205
7	BERGER	Benetton-Renault	1:28,336
8	SALO	Tyrrell-Yamaha	1:28,423
9	BARRICHELLO	Jordan-Peugeot	1:28,632
10	FRENTZEN	Sauber-Ford	1:28,785
11	HAKKINEN	McLaren-Mercedes	1:29,079
12	BRUNDLE	Jordan-Peugeot	1:29,099
13	PANIS	Ligier-Mugen-Honda	1:29,472
14	VERSTAPPEN	Arrows-Hart	1:29,539
15	HERBERT	Sauber-Ford	1:29,541
16	KATAYAMA	Tyrrell-Yamaha	1:29,892
17	DINIZ	Ligier-Mugen-Honda	1:29,989
18	LAMY	Minardi-Ford	1:30,471
19	FISICHELLA	Minardi-Ford	1:30,814
20	ROSSET	Arrows-Hart	1:31,316
21	BADOER	Forti-Ford	1:32,037

Résultats de la course				
RANG	PILOTE	TOURS	ÉCART	TEMPS
1	HILL	63		1:35:26,156
2	SCHUMACHER	63	16,460	1:35:42,616
3	BERGER	63	46,891	1:36:13,047
4	IRVINE	63	1:01,583	1:36:27,739
5	BARRICHELLO	63	1:18,490	1:36.44.646
6	ALESI	62	1 tour	
7	DINIZ	62	1 tour	
8	HAKKINEN	61	abandon	
9	LAMY	61	2 tours	
10	BADOER	59	4 tours	
11	VILLENEUVE	57	abandon	

Points des constructeurs		
CONSTRUCTEUR	POINTS	CUMULATIF
Williams-Renault	10	65
Ferrari	9	25
Benetton-Renault	5	18
McLaren-Mercedes	0	9
Jordan-Peugeot	2	8
Tyrrell-Yamaha	0	3
Ligier-Mugen-Honda	0	1
Footwork-Hart	0	1

Points des pilotes		
PILOTE	POINTS	CUMULATIF
HILL	10	43
VILLENEUVE	0	22
SCHUMACHER	6	16
ALESI	1	11
IRVINE	3	9
BERGER	4	7
BARRICHELLO	2	7
HAKKINEN	0	5
COULTHARD	0	4
SALO	0	3
PANIS	0	1
VERSTAPPEN	1	1
BRUNDLE	0	1

Meilleurs temps

VITESSE DU GAGNANT:
Damon Hill   193,761 km/h

TOUR LE PLUS RAPIDE:
Damon Hill   1:28,931
198,032 km/h

Le Grand Prix de Monaco

Monte-Carlo, Monaco

*Il y a 17 ans que je vis à Monaco; j'avais
donc hâte de courir en Formule 1 à deux
pas de ma demeure. Mais la ville me semblait
différente durant le Grand Prix, et je n'y
avais pas vraiment l'impression d'être chez
moi. Une telle foule massée dans si peu
d'espace peut causer des difficultés, dont celle
qui m'a fait abandonner la course. Au moins,
une fois celle-ci finie, je n'étais pas loin
de la maison.*

J'ai eu peu de temps pour me détendre et me
préparer pour cet important week-end. Après le
Grand Prix de Saint-Marin, nous sommes restés
à Imola pour une séance d'essais qui a été
éprouvante vu qu'elle venait si tôt après la course.
À cause d'un voyage de relations publiques en
Irlande et d'autres engagements, je n'ai pu passer
que quelques jours à la maison, où la vie est vite
devenue frénétique.

Les deux courses de Formule 3 auxquelles
j'avais participé à Monaco ne m'étaient pas très utiles
pour la Formule 1. La piste est agréable à parcourir
en Formule 3, mais je ne peux pas dire que ç'ait été
le cas en Williams-Renault, surtout au début, pendant
que j'essayais de m'adapter aux différences entre

Repos

Il m'était agréable de me détendre le soir dans mon propre appartement. Mais m'y rendre — ou aller n'importe où dans les rues bondées de Monaco — était un vrai cauchemar.

‹‹ Jacques faisait l'expérience d'une courbe d'apprentissage, vu le peu de connaissances qu'il avait des circuits et des réglages complexes de la voiture. ››

FRANK WILLIAMS
(propriétaire de l'écurie)

les deux types d'épreuves. C'était pour moi une toute nouvelle expérience sur ce qui me semblait un circuit complètement différent de celui que j'avais connu et qu'il me faudrait étudier depuis le début.

Étant donné que la voiture de Formule 1 est beaucoup plus large, les quelques segments de la piste sinueuse qui semblaient raisonnablement droits en Formule 3 deviennent des virages en Formule 1. À cause des vitesses plus élevées, le pilote est toujours en train de négocier des virages, ce qui requiert beaucoup plus de freinage; la tâche est encore compliquée par le fait que presque aucune des zones de freinage ne se trouve dans des droits.

Chaque tour nécessite un changement constant des vitesses, du freinage et de l'accélération, ainsi qu'une précision parfaite pour maintenir la voiture loin des glissières de sécurité. Les virages rapides, mes préférés, sont plus faciles à apprendre, mais les lents, dont deux doivent être pris à moins de 50 km/h, sont difficiles à maîtriser.

Le premier jour des essais, on n'a le droit de faire que 30 tours. À mon avis, cette limite suffit à peine à familiariser le pilote avec les autres circuits, et elle est nettement insuffisante dans le cas de Monaco. Je perdais du temps dans les virages lents. J'ai toujours aimé les virages rapides: plus ça va vite, mieux c'est. Par exemple, en ski alpin, je préfère la descente au slalom, parce que la vitesse atteinte par le skieur y est nettement supérieure. Dans mon travail, j'apprends vite à maîtriser les virages rapides, mais j'ai besoin de plus de temps pour les lents.

Aux qualifications, du fait que ma conduite n'était pas encore optimale et que les réglages de la voiture laissaient à désirer, je me suis trouvé sur la grille de départ en dixième position, de loin ma moins bonne jusqu'à ce jour. Durant les essais libres du dimanche matin, les deux réglages de voiture que nous avons essayés ne se sont pas révélés concluants. Mais juste avant la course, durant la brève séance d'entraînement sous la pluie, ma vitesse est devenue beaucoup plus grande. La piste était glissante, mais ces conditions semblaient compenser nos déficiences. Et comme le dépassement, notoirement difficile ici, l'était moins sur piste mouillée que sur piste sèche, j'espérais qu'il pleuvrait sur le Grand Prix de Monaco.

La pluie a cessé juste avant le début de la course, mais la piste était encore dangereusement mouillée, et les accidents ont été nombreux. J'ai conduit le plus vite et le plus prudemment possible, gardant en tête les conseils que m'avaient prodigués Frank Williams et les autres membres de l'équipe. Ils disaient que, à Monaco, le pilote qui réussit à finir la course la finit bien; mais quand l'occasion de doubler se présente, il faut la saisir.

Bientôt, j'étais sur la piste, parmi un groupe de voitures qui se valaient à peu près. Une fois la piste suffisamment sèche, tous les coureurs se sont rendus à leur stand de ravitaillement pour chausser les pneus temps sec et faire le plein. Comme

cet arrêt arrivait plus tôt que prévu, l'économie du carburant devenait capitale, et mon ingénieur, Jock Clear, m'a recommandé par radio de le ménager. Malgré cela, nous avions de bonnes chances d'améliorer notre quatrième position avant la fin de la course, si nous parvenions à la finir.

L'incident qui m'a forcé à abandonner la course s'est produit au moment où je doublais la Forti de Luca Badoer, qui roulait moins vite que moi. Après s'être rangé pour se laisser doubler par la voiture qui me précédait, il s'est remis devant moi et nous nous sommes heurtés. Bien entendu, Badoer ne m'avait pas vu; aucun pilote ne ferait une telle manœuvre délibérément. Mais quand il s'est rangé pour se laisser doubler, il aurait dû garder sa position, parce qu'il était fort probable qu'une autre voiture suivait de près. C'était aussi l'avis des commissaires sportifs, qui ont imposé à Badoer une pénalité pour conduite dangereuse.

Même si ce sont des choses qui arrivent durant une course, j'étais très contrarié d'être forcé d'abandonner l'épreuve à cause de l'erreur d'un autre pilote. Assis sur le bord de la piste, je dois avouer que j'avais davantage envie de rentrer chez moi que d'aller au stand. J'ai trouvé une certaine consolation en rencontrant d'autres pilotes victimes eux aussi d'accidents, et nous avons attendu ensemble la fin de la course. Nous étions nombreux (trois voitures seulement ont terminé la course), mais personne n'en voulait à personne, et nous ne nous sommes pas parlé de nos problèmes.

On ne peut se permettre de ressasser les mauvais côtés de la course automobile; même si nous n'avons obtenu aucun point à Monaco, certains côtés positifs étaient encourageants. J'étais content d'être devenu plus compétitif en

Des ennuis à l'horizon

J'étais dans la course et j'avais de bonnes chances de monter sur le podium. Mais pour bien finir, il faut d'abord finir, ce qui n'allait pas être mon cas.

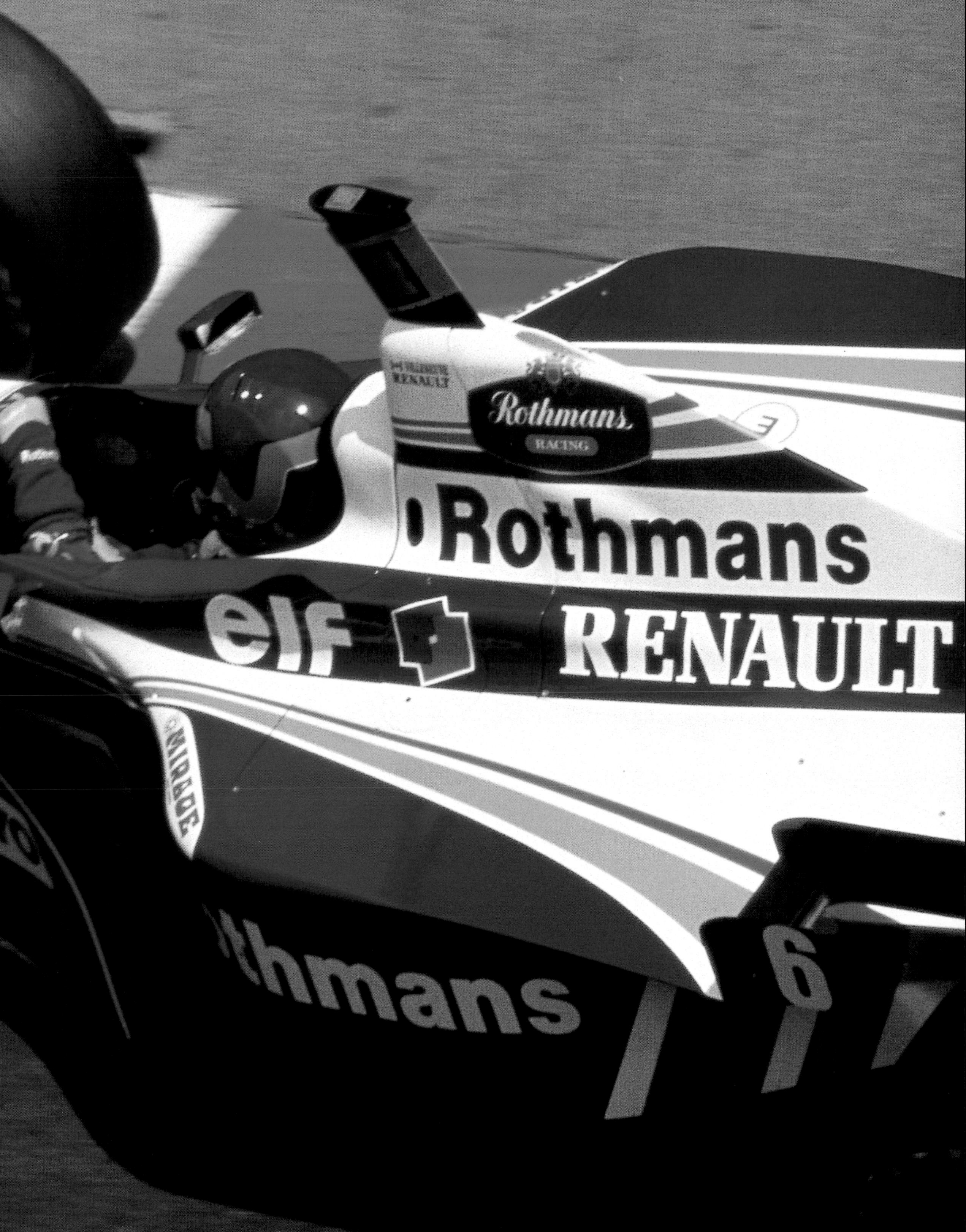
Rothmans
RACING
Rothmans
elf
RENAULT
thmans
6

C'est une jungle

Quand j'ai été contraint d'abandonner la course à cause de l'erreur d'un autre pilote, je dois avouer que j'avais davantage envie de rentrer chez moi que de me rendre au stand.

course malgré un piètre départ. Même si les résultats ont été décevants, je n'ai pas tout perdu, car en cherchant à déterminer mes erreurs et en essayant de les corriger, j'ai beaucoup appris et je me suis amélioré. Bien que ce week-end n'ait pas rapporté de points à Williams-Renault – Damon a mené pendant presque toute la course mais a dû abandonner à cause d'une défaillance mécanique –, mon coéquipier et moi occupions respectivement les premier et deuxième rangs au classement des pilotes, et notre équipe jouissait encore d'une longue avance sur ses concurrents.

Prix de consolation

Mika Salo n'a pas terminé la course lui non plus. Plus tard dans la soirée, nous sommes sortis ensemble et avons oublié nos malheurs.

C'était tout de même du Grand Prix de Monaco qu'il s'agissait, avec toutes les traditions historiques à observer. Ce soir-là, Sandrine et moi sommes allés souper avec des amis et avons fait la fête. Nous étions une quinzaine, dont Mika Salo, aujourd'hui pilote chez Tyrrell et mon ami depuis que nous avons tous deux couru en Formule 3 au Japon, et David Coulthard, pilote chez McLaren, résidant lui aussi à Monaco.

Il était tard; nous nous amusions comme des fous. Il y avait plein de monde; c'est alors que j'ai eu mon deuxième accident de la journée. Sandrine et moi dansions énergiquement, quand une main quelconque s'est interposée entre mes yeux et mes lunettes. Celles-ci ont volé sur le plancher, où elles ont été écrasées. Comme c'était moi qui avais marché dessus, je ne pouvais blâmer personne. Mais, à ce moment-là, il n'était pas très grave que je voie mal.

La vitesse à Monaco

À part dans les virages lents, il est agréable de conduire une Formule 1 à travers les rues de Monaco. Mais c'est très difficile – même pour un Monégasque. Le tracé ne comporte pas de long droit; il faut toujours virer, et on freine presque aussi souvent que l'on accélère. À chaque tour, il faut changer de vitesse près d'une quarantaine de fois.

Le droit où se trouvent les stands de ravitaillement n'en est pas vraiment un; en réalité, les voitures virent à droite jusqu'au virage de Sainte-Dévote. Juste avant le point de freinage, la piste devient cahoteuse; la voiture baisse et monte, ce qui donne une drôle de sensation. On ne peut pas doubler à cet endroit, car la piste

Vitesse relative

La vitesse en tant que telle ne présente aucun intérêt pour moi. Dans un avion, vous volez à 800 km/h sans même vous en rendre compte. Mais prendre des risques calculés tout en poussant la voiture à sa limite, sachant que si vous allez trop loin ce sera l'accident, voilà où réside le plaisir. Et, malgré sa vitesse relativement faible, le circuit de Monaco comporte beaucoup d'endroits où l'accident est possible.

Tour rapide de Monaco

Le fait de courir dans des rues familières ne m'a pas donné d'avantage. Quand on est assis au volant d'une Formule 1, le décor se déroule à une vitesse folle et c'est le sentiment de claustrophobie qui domine.

rétrécit dans le virage, où se forme un véritable bouchon, surtout au premier tour quand toutes les voitures s'agglutinent.

La Montée du Beau Rivage est très abrupte et comporte une petite courbe au milieu; il y a aussi un léger pli rapide juste avant le virage Massenet. Quand la voiture franchit l'abrupte montée avant Massenet, elle devient toute légère avant de retomber. Plusieurs trajectoires sont possibles dans le virage Massenet, et il faut freiner en braquant à gauche. La courbe devient de plus en plus serrée, et la visibilité est nulle d'un bout à l'autre. Le pilote ne pense jamais au fait qu'il roule sans voir ce qu'il y a devant, parce que, s'il avait le temps de penser, cela signifierait qu'il ne roule pas assez vite.

Le virage Casino est plutôt étrange. On y vire à droite, mais juste avant d'y entrer, il faut faire un crochet pour contourner la glissière qui empiète sur la trajectoire idéale; à l'endroit où il faut freiner, la piste est légèrement inclinée. À la sortie du virage, la piste descend abruptement; si le pilote accélère, il se rapproche dangereusement de la glissière. On m'a dit que mon père la heurtait fréquemment; moi, cela ne m'est jamais arrivé.

Dans la descente menant au virage Mirabeau, la surface de la piste n'est pas uniforme; elle est légèrement bombée, ce qui rend difficile le puissant freinage requis à l'entrée du virage. On peut négocier ce virage à bonne vitesse, parfois avec la roue avant intérieure décollée, parce que la légère inclinaison de la piste retient la voiture au sol. Serré comme tous les autres virages du circuit, il est toutefois assez large pour permettre au pilote de doubler, pourvu que la voiture qui se fait dépasser coopère. Je n'ai pas doublé dans ce virage, et c'est là que s'est terminé le Grand Prix pour moi.

Si vous réussissez à sortir du virage Mirabeau, vous entrez alors dans la partie inintéressante du circuit. Le virage du Loews, très lent – de 40 à 45 km/h –, ne présente aucun attrait. Le bord intérieur est assez élevé, et on peut y faire monter la roue avant gauche. Si vous commettez une erreur et frappez le bord avec la roue arrière, comme cela m'est déjà arrivé, votre voiture est projetée dans les airs.

Vous accélérez dans la descente sur quelques mètres, avant le virage à droite suivant, dont le bord est également assez élevé pour y faire monter tout le côté droit de la voiture. Quand vous descendez du bord, vous rebondissez vivement, mais vous voulez garder le plus de vitesse possible pour entrer dans le virage du Portier.

Vous freinez juste avant ce virage, qu'il faut négocier correctement, parce que vient ensuite le tunnel, la partie la plus rapide du circuit. À l'intérieur du

tunnel, vous accélérez constamment, tout en virant légèrement à droite. Mais cet obstacle, facile à prendre à toute vitesse, ne présente pas de vrai défi.

À la sortie du tunnel, vous roulez plus vite que n'importe où ailleurs sur la piste; il vous faut freiner vivement à l'approche de la nouvelle Chicane. Vous freinez à l'endroit où la piste descend légèrement, tout en entrant dans la chicane. La voiture devient très légère et vole presque, ce qui donne une drôle de sensation; il faut éviter de heurter le bord. Le pilote a beaucoup à faire pour traverser cette chicane, mais elle est très lente et assez ennuyeuse.

Vous arrivez ensuite dans la partie la plus intéressante du circuit: le virage du Tabac et la Piscine. La zone de freinage du virage est très cahoteuse; on y roule sur des couvercles d'égouts; puis on accélère et on tourne à gauche en direction du premier virage entourant la piscine. C'est aussi un beau virage, où si vous ne freinez pas vous décollez légèrement; il faut donc trouver la vitesse parfaite. Le second virage, à droite, contourne la piscine. Il est moins ardu que l'autre; vous pouvez dériver sur le bord et vous en servir comme s'il s'agissait de la piste.

Circuit sinueux

La piste ne comporte pas de droit long; il faut toujours virer, et on freine presque aussi souvent que l'on accélère. À chaque tour, il faut changer de vitesse une quarantaine de fois environ.

Accélérer sur le segment suivant, un virage graduel à gauche, est plus difficile parce que la voiture adhère moins au sol à cause des marques peintes sur l'asphalte. Durant le freinage vous préparant au virage de la Rascasse, vous risquez de glisser même sur piste sèche. C'est encore pire sous la pluie, et bon nombre de pilotes ont dérapé à cet endroit précis du circuit.

La Rascasse est un autre virage en épingle lent et ennuyeux. Quand vous en sortez et que vous accélérez, l'adhérence est mauvaise à cause des marques peintes sur l'asphalte et du bombé de la piste: vous avez l'impression de faire du sur-place.

Le virage Anthony Noghes est lui aussi bizarre. La glissière de sécurité se projette sur la trajectoire de course, de telle sorte que la piste mesure à cet endroit cinq mètres de moins qu'il le faudrait. De plus, il y a des marques de peinture sur l'asphalte et la piste est bombée. Il est difficile de bien négocier ce virage, mais il vous faut y entrer et en sortir bien car, si vous n'y avez pas eu d'accident, vous vous trouvez de nouveau sur le droit des stands. Vous venez de terminer un tour du circuit. L'an prochain, j'ai bien l'intention de terminer tous les tours.

Le Grand Prix de Monaco — 19 mai 1996

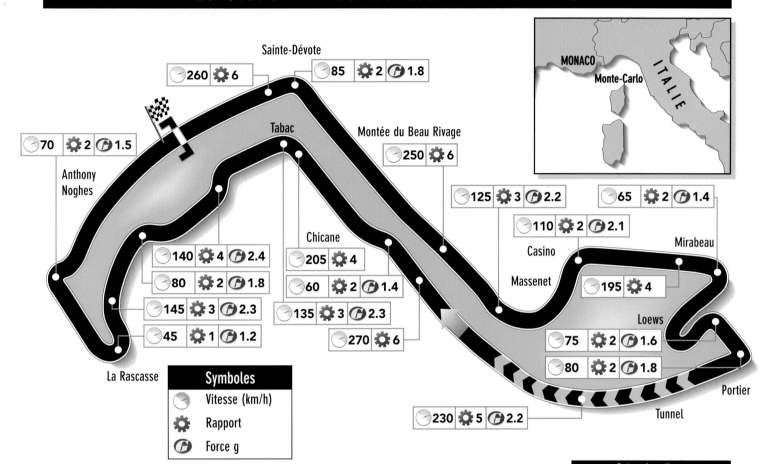

Sainte-Dévote

260 ⚙ 6 · 85 ⚙ 2 Ⓖ 1.8

MONACO
Monte-Carlo
ITALIE

70 ⚙ 2 Ⓖ 1.5

Anthony Noghes

Tabac

Montée du Beau Rivage

250 ⚙ 6

125 ⚙ 3 Ⓖ 2.2 · 65 ⚙ 2 Ⓖ 1.4

110 ⚙ 2 Ⓖ 2.1

Casino

Mirabeau

140 ⚙ 4 Ⓖ 2.4

Chicane

205 ⚙ 4

80 ⚙ 2 Ⓖ 1.8

60 ⚙ 2 Ⓖ 1.4

Massenet

195 ⚙ 4

145 ⚙ 3 Ⓖ 2.3

135 ⚙ 3 Ⓖ 2.3

Loews

45 ⚙ 1 Ⓖ 1.2

270 ⚙ 6

75 ⚙ 2 Ⓖ 1.6

80 ⚙ 2 Ⓖ 1.8

La Rascasse

Portier

230 ⚙ 5 Ⓖ 2.2

Tunnel

Symboles

🕐	Vitesse (km/h)
⚙	Rapport
Ⓖ	Force g

Temps de qualification

RANG	PILOTE	ÉCURIE	TEMPS
1	SCHUMACHER	Ferrari	1:20,356
2	HILL	Williams-Renault	1:20,888
3	ALESI	Benetton-Renault	1:20,918
4	BERGER	Benetton-Renault	1:21,067
5	COULTHARD	McLaren-Mercedes	1:21,460
6	BARRICHELLO	Jordan-Peugeot	1:21,504
7	IRVINE	Ferrari	1:21,542
8	HAKKINEN	McLaren-Mercedes	1:21,688
9	FRENTZEN	Sauber-Ford	1:21,929
10	VILLENEUVE	Williams-Renault	1:21,963
11	SALO	Tyrrell-Yamaha	1:22,235
12	VERSTAPPEN	Arrows-Hart	1:22,327
13	HERBERT	Sauber-Ford	1:22,346
14	PANIS	Ligier-Mugen-Honda	1:22,358
15	KATAYAMA	Tyrrell-Yamaha	1:22,460
16	BRUNDLE	Jordan-Peugeot	1:22,519
17	DINIZ	Ligier-Mugen-Honda	1:22,682
18	FISICHELLA	Minardi-Ford	1:22,684
19	LAMY	Minardi-Ford	1:23,350
20	ROSSET	Arrows-Hart	1:24,976
21	BADOER	Forti-Ford	1:25,059
22	MONTERMINI	Forti-Ford	1:25,393

Résultats de la course

RANG	PILOTE	TOURS	ÉCART	TEMPS
1	PANIS	75		2:00:45,629
2	COULTHARD	75	4,828	2:00:50,457
3	HERBERT	75	37,503	2:01:23,132
4	FRENTZEN	74	abandon	
5	SALO	70	abandon	
6	HAKKINEN	70	abandon	
7	IRVINE	68	abandon	

Points des constructeurs

CONSTRUCTEUR	POINTS	CUMULATIF
Williams-Renault	0	65
Ferrari	0	25
Benetton-Renault	0	18
McLaren-Mercedes	7	16
Ligier-Mugen-Honda	10	11
Jordan-Peugeot	0	8
Sauber-Ford	7	7
Tyrrell-Yamaha	2	5
Footwork-Hart	2	1

Points des pilotes

PILOTE	POINTS	CUMULATIF
HILL	0	43
VILLENEUVE	0	22
SCHUMACHER	0	16
PANIS	10	11
ALESI	0	11
COULTHARD	6	10
IRVINE	0	9
BERGER	0	7
BARRICHELLO	0	7
HAKKINEN	1	6
SALO	2	5
HERBERT	4	4
FRENTZEN	3	3
VERSTAPPEN	0	1
BRUNDLE	0	1

Meilleurs temps

VITESSE DU GAGNANT:
Olivier Panis 124,014 km/h

TOUR LE PLUS RAPIDE:
Jean Alesi 1:25,205
140,611 km/h

Le Grand Prix d'Espagne

 Barcelone, Espagne

J'étais content de me trouver sur le podium, après un Grand Prix difficile, disputé sous la pluie. Cette course prouve que l'expérience est le meilleur maître parce que, contrairement à ma première course de Formule 1 sous la pluie, au Brésil, j'ai réussi à terminer l'épreuve sans commettre d'erreur. Le seul fait de franchir la ligne d'arrivée était une performance — beaucoup de pilotes n'y sont pas arrivés ce jour-là — et il était remarquable d'arriver troisième, derrière deux experts des courses sous la pluie, Schumacher et Alesi.

Durant le voyage de six heures de Monaco à Barcelone, je me réjouissais à la pensée que le circuit espagnol est bien dégagé et permet aux pilotes de livrer une vraie course. Cela allait me faire oublier la claustrophobie que j'avais ressentie dans les rues étroites de Monaco. Après un abandon à ma dernière course, il était important que j'obtienne de bons résultats dans celle-ci. Courir sur l'agréable circuit de Barcelone, où nous avions eu une journée

d'essais avant le début de la saison, me faciliterait la tâche. Le tracé est formidable, avec ses quelques virages rapides, avec son long droit où vous avez l'occasion de freiner après les autres au moment d'amorcer le virage suivant, et avec ses variations de niveau qui ajoutent du piquant à la course.

Grâce à ma connaissance du circuit, j'ai pu rapidement atteindre la cadence optimale, et ma voiture me semblait parfaitement au point. Le samedi, durant la séance d'essais libres précédant les qualifications, tout de suite après mon tour le plus rapide, une rare défaillance du moteur Renault nous a empêchés de perfectionner les réglages en vue de la qualification. Mais nous restions

confiants pour ce qui était de la vitesse. (On m'a même imposé une amende de vitesse excessive sur la voie des stands! Parlant à la radio à ce moment-là, j'avais été distrait.) J'ai obtenu la deuxième position sur la grille de départ, après avoir livré une dure bataille à Damon pour obtenir la pole position. Notre équipe voyait donc ses deux pilotes occuper les deux premières positions. Le jour de la course, la pluie est tombée.

Le circuit de Barcelone

Avec ses virages à haute vitesse, avec son long droit permettant de doubler et avec d'intéressantes élévations, ce tracé est très stimulant pour le pilote — pourvu qu'il voie où il va.

En fait, c'était le déluge. Nous perdions tout l'avantage que nous avions eu le samedi. Comme tous les autres, nous avons dû expérimenter des réglages pour temps pluvieux durant les essais libres de trente minutes. Avant d'avoir eu l'occasion de mettre à l'épreuve les réglages qui nous semblaient appropriés, ceux-ci ont été interrompus par un accident. Nous avons été obligés de modifier à vue de nez le réglage du châssis. À cause de la forte pluie et de la mauvaise visibilité, les pilotes aussi devraient se fier à leur flair, sauf celui qui réussirait à prendre la tête du peloton au départ.

C'est moi qui y suis parvenu. En me dirigeant vers le premier virage, j'ai été étonné – et ravi! – de constater que j'étais seul. Tout ce que j'apercevais dans mes rétroviseurs, c'était un tourbillon d'eau, comme le sillage d'un bateau, et, tout le reste de l'après-midi, bon nombre de pilotes ont vogué. Il y a eu plusieurs accidents. J'ai moi-même failli plusieurs fois en avoir un. Dans presque tous les virages, ma voiture sautillait. La piste était dangereuse. Il fallait rester alerte, en plus de compter sur la chance pour ne pas déraper. Chaque mouvement devait se faire en douceur, mais il ne fallait pas ralentir non plus.

J'ai été impressionné de voir à quelle vitesse Michael Schumacher pouvait rouler dans de si terribles conditions. Il pilotait exceptionnellement bien; en

La puissance de Renault

Christian Contzen et Bernard Dudot, de Renault Sport, sont deux membres importants de notre équipe. Leurs moteurs sont puissants, fiables... et à l'épreuve de l'eau.

moins de deux, sa Ferrari est apparue dans mes rétroviseurs. Quand il a réussi à me doubler en freinant plus tard que moi à l'entrée d'un virage, cela a été mon tour de faire l'expérience de la mauvaise visibilité causée par les projections d'eau. À certains endroits, des ruisseaux traversaient la piste. Comme si cela n'était pas assez, de la pluie verglaçante nous est aussi tombée dessus par moments.

Il faisait froid et humide dans le cockpit. Avec Jean Alesi qui me talonnait, je me trouvais dans une situation semblable à celle que j'avais vécue au Brésil, quand j'avais dérapé au moment où il tentait de me doubler. J'étais résolu à empêcher que cela se reproduise et j'y suis parvenu. Mais il a réussi à me devancer dans la cohue des voitures qui quittaient les stands. Ma voiture s'est beaucoup mieux comportée avec les pneus pluie; vers la fin de la course, j'ai vraiment tout fait pour rattraper Jean. C'était un peu risqué, mais je me suis rapproché suffisamment de lui pour le garder à l'œil.

Affronter la piste et les autres coureurs pendant près de deux heures, dans le froid et la pluie, n'a pas été une sinécure. La course était stressante et fatigante. Sur le podium, j'avais les mâchoires qui claquaient, mais j'étais heureux. Vu l'abandon de Damon, j'étais content d'avoir marqué des points pour mon équipe. Michael et moi étant ex æquo au classement, pas très loin derrière Damon, le championnat devenait de plus en plus intéressant, et le prochain Grand Prix, disputé au Canada, serait excitant.

D'autant plus excitant que j'allais courir devant les milliers d'amateurs de mon pays. Je ne savais pas vraiment à quoi m'attendre; chose certaine, ce serait un autre week-end de frénésie. Je souhaitais que ma performance soit à la hauteur des attentes des amateurs canadiens. Leur présence m'inspirerait, mais il ne me serait pas possible de faire mieux, puisque je donnais toujours le meilleur de moi-même.

« Quand le temps est exceptionnel, les résultats le sont aussi. Schumacher a été brillant; personne ne pouvait l'arrêter. Même si Jacques n'est pas encore vraiment habitué à la pluie, il s'en est bien tiré sans commettre d'erreur. »

BERNARD DUDOT
(directeur technique de Renault Sport)

Courir sous la pluie

Pour quelqu'un qui n'avait jamais couru en Formule 1 sous la pluie, la saison avait jusque-là été généreuse en occasions d'apprentissage. En Espagne, le temps avait été plus mauvais que jamais; un déluge s'était abattu sur le circuit, du début à la fin de la course. Je n'irais pas jusqu'à dire que j'étais devenu un expert de la course sous la pluie, mais j'avais appris à maîtriser quelques techniques de survie, ce que prouve le fait que j'ai été l'un des six coureurs qui ont complété les 65 tours de la course. Généralement, quand il pleut, mieux vaut rouler hors de

la trajectoire habituelle, parce que les pneus adhèrent mieux à la chaussée aux endroits où il n'y a pas d'accumulation de caoutchouc sur l'asphalte, c'est-à-dire ailleurs que sur la trajectoire qu'empruntent les voitures par temps sec. Les pneus pluie, dont la bande de roulement est rainurée, mordent dans l'eau (et la projettent sur les véhicules à l'arrière!) et s'accrochent à la piste. Jusqu'à quel point? Tout dépend de la surface de la piste. À Imola, par exemple, l'asphalte est très lisse, et le drainage médiocre. Il serait impossible d'y rouler sous la pluie aux vitesses que nous atteignions à Barcelone.

En Espagne, la piste est restée trempée toute la durée de la course, contrairement à celles du Brésil et de Monaco, qui avaient fini par sécher. Le pire, c'est le stade intermédiaire, quand la trajectoire sèche coexiste avec la trajectoire trempée, et que certains conducteurs ont enlevé leurs pneus pluie. Si vous les avez enlevés et que vous suivez un pilote qui les a gardés, vous ne pouvez rouler dans la trajectoire trempée pour le doubler; il vous faut donc rester derrière. Le problème s'accentue sur les pistes étroites, comme celle de Monaco, où, après un arrêt au stand pour enlever mes pneus pluie, je me suis trouvé derrière une voiture

Techniques de survie

Sur une piste mouillée, ne pas déraper exige un esprit alerte et prévoyant, une bonne part de conjectures et de l'expérimentation. Le stress y étant plus intense, il faut se concentrer pour rester détendu.

qui en était encore munie. Avant d'être en mesure de la doubler, j'ai perdu cinq secondes en un seul tour.

Quand un pilote déclare qu'il aime bien courir sous la pluie, cela signifie généralement que les réglages pour pluie de son véhicule sont excellents. Il est étonnant de voir à quel point une voiture de Formule 1 s'accroche bien – peut-être trop bien – au pavement sous la pluie. La voiture colle bien au sol, grâce à la déportance, mais seulement si sa vitesse est suffisante. Cela signifie que le pilote doit maintenir une vitesse élevée, même dans les droits, faute de quoi l'aquaplanage le guette, et il risque de perdre le contrôle de son véhicule.

Le fait que la piste soit trempée accentue également la différence de déportance dans les virages lents et les virages rapides. Il faut distinguer l'adhérence mécanique – inhérente au châssis et aux pneus – et l'adhérence due à la déportance – où la pression d'air qui s'exerce sur les ailerons aide la voiture à coller au sol. Une déportance accrue augmentera l'adhérence au sol dans les virages rapides; mais, dans les virages serrés, où il faut davantage se fier à l'adhérence mécanique, la voiture colle beaucoup moins bien à la piste. Inversement, une voiture réglée en fonction des virages lents réagira moins bien dans les virages rapides. Par conséquent, durant les réglages pour temps pluvieux, il faut toujours trouver un équilibre, bien qu'une augmentation de la déportance soit souhaitable.

Durant une course sous la pluie, quand la déportance a été privilégiée au cours des réglages, le pilote doit garder l'accélérateur enfoncé même s'il ne voit pas toujours où il va. Voilà qui aggrave les risques que présente la mauvaise visibilité. Quand vous suivez une voiture à bonne distance, vous voyez les traces laissées par ses pneus. Mais quand vous vous rapprochez de celle-ci, l'eau qu'elle projette vous donne l'impression de traverser un pan de brouillard. La situation est encore pire quand plusieurs voitures roulent en peloton, car la pulvérisation d'eau reste suspendue dans l'air. La mauvaise visibilité est un problème encore plus grave dans les droits, du fait que vous n'avez aucune idée de la vitesse de la voiture qui vous précède. Vous foncez à plein régime, et vous n'apercevrez la voiture qui vous précède qu'au moment où vous serez quasiment collé dessus. Le feu rouge installé à l'arrière des voitures est utile, mais il reste difficile d'évaluer la vitesse des autres. Il se pourrait même que la voiture que vous apercevez soit arrêtée; si c'était le cas, vous ne vous en rendriez pas compte avant qu'il soit trop tard.

Conduire sous la pluie suscite donc toujours une certaine appréhension. Lorsque le stress augmente, vous en ressentez l'effet dans le dos et dans le cou. Vous devez vous concentrer pour rester détendu car, crispé, vous conduirez moins bien. Dans le cockpit, vous faites en sorte que vos gestes ne soient pas brusques, en veillant particulièrement à accélérer et à freiner en douceur. Le changement des vitesses se faisant automatiquement, vous pouvez garder le pied au sol, bien que, si la pluie tombe vraiment dru, vous utiliserez les changements courts pour garder votre élan tout en ne nuisant pas à la motricité.

Plusieurs raisons expliquent pourquoi certains pilotes conduisent mieux que d'autres sous la pluie. Peut-être leurs gestes sont-ils moins brusques. Peut-être que, s'adaptant plus facilement, ils trouvent vite les bonnes trajectoires et contrôlent mieux les dérapages. Il est essentiel de corriger rapidement la trajectoire de la voiture après une perte d'adhérence. Tout cela relève de l'intuition et de l'expérimentation. Quand votre voiture dérape, vous ne pouvez vous permettre de vous crisper et de réagir excessivement. Vous ne pouvez pas

Problèmes de visibilité

Il faut continuer d'appuyer sur l'accélérateur, même quand le brouillard d'eau réduit la visibilité. Mieux vaut alors se trouver devant le peloton, ce qui était mon cas au début de la course.

vous permettre non plus de ralentir. Il vous faut toujours aller jusqu'aux limites imposées par les conditions atmosphériques, tout en ne dépassant pas vos propres limites.

Pour maîtriser une voiture sur piste trempée, il vous faut surtout sentir dans quelle mesure vous êtes près de la limite et avoir assez confiance en vous pour y rester. Vos réflexes doivent être rapides et vos réactions instantanées. Pour rester sur la piste, vous devez avoir l'esprit alerte, prévoir les événements, vous livrer à des estimations et expérimenter un peu. Dans un virage, pour trouver le moment où vous devez relâcher le pied de l'accélérateur, vous devez continuer d'accélérer jusqu'à ce que votre voiture commence à glisser; alors, vous relâcherez la pression. Mais rien ne garantit que les conditions seront identiques le tour suivant; vous devez donc penser avec souplesse. Votre tâche sera plus facile si vous avez assez d'imagination pour voir en esprit les diverses options qui s'offrent à vous, et que vous pensez

De l'eau partout

Le cockpit était un bien piètre abri contre la pluie. Je n'allais me sentir soulagé qu'à la fin de la course. Peut-être est-ce pour cela que j'ai roulé le plus vite possible.

vite pour choisir la bonne. Vous devez être en mesure de visualiser la situation et de comprendre où vous en êtes par rapport aux limites de l'adhérence.

La concentration est essentielle durant la course sous la pluie; en Espagne, j'ai dû surmonter des distractions physiques qui menaçaient de me déconcentrer. Il faisait si humide et si froid que j'ai tremblé tout l'après-midi. Le cockpit est un bien piètre abri – j'avais l'impression de rouler sur une moto en plein hiver –, et des gouttes de pluie ont commencé à pénétrer dans mon casque, ce qui a nui encore plus à la visibilité, parce que cela s'est produit au moment où je talonnais une autre voiture. À cause du phénomène d'aspiration créé par la voiture qui me précédait, l'eau est entrée sous mon casque. Quand j'ai doublé cette voiture, le déplacement d'air a chassé l'eau par le trou de mon casque. C'était là sans doute une raison de plus pour moi de doubler mes rivaux. Autre chose m'a peut-être aussi incité à rouler plus vite.

Avant la course, il faut boire beaucoup d'eau pour prévenir la déshydratation due à la transpiration. Mais il faisait froid à Barcelone ce jour-là, et mes fluides corporels commençaient à s'accumuler, surtout, me semblait-il, dans la vessie. Sans doute l'eau qui tombait du ciel accentuait-elle mon inconfort, qui s'aggravait chaque fois que je freinais ou que je changeais de vitesse. J'ai donc été fort soulagé de voir enfin flotter le drapeau à damiers.

Le Grand Prix d'Espagne – 2 juin 1996.

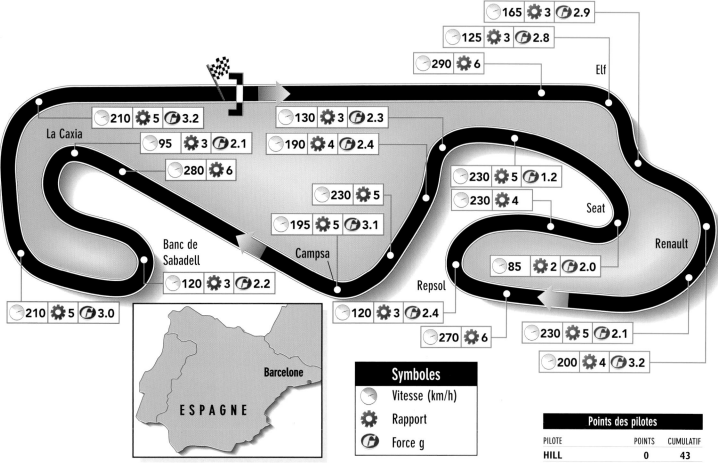

Symboles

Vitesse (km/h)	
Rapport	
Force g	

ESPAGNE

Barcelone

Temps de qualification			
RANG	PILOTE	ÉCURIE	TEMPS
1	HILL	Williams-Renault	1:20,650
2	VILLENEUVE	Williams-Renault	1:21,084
3	SCHUMACHER	Ferrari	1:21,587
4	ALESI	Benetton-Renault	1:22,061
5	BERGER	Benetton-Renault	1:22,125
6	IRVINE	Ferrari	1:22,333
7	BARRICHELLO	Jordan-Peugeot	1:22,379
8	PANIS	Ligier-Mugen-Honda	1:22,685
9	HERBERT	Sauber-Ford	1:23,027
10	HAKKINEN	McLaren-Mercedes	1:23,070
11	FRENTZEN	Sauber-Ford	1:23,195
12	SALO	Tyrrell-Yamaha	1:23,224
13	VERSTAPPEN	Arrows-Hart	1:23,371
14	COULTHARD	McLaren-Mercedes	1:23,416
15	BRUNDLE	Jordan-Peugeot	1:23,438
16	KATAYAMA	Tyrrell-Yamaha	1:24,401
17	DINIZ	Ligier-Mugen-Honda	1:24,468
18	LAMY	Minardi-Ford	1:25,274
19	FISICHELLA	Minardi-Ford	1:25,531
20	ROSSET	Arrows-Hart	1:25,621

Résultats de la course				
RANG	PILOTE	TOURS	ÉCART	TEMPS
1	SCHUMACHER	65		1:59:49,307
2	ALESI	65	45,302	2:00:34,609
3	VILLENEUVE	65	48,388	2:00:37,695
4	FRENTZEN	64	1 tour	
5	HAKKINEN	64	1 tour	
6	DINIZ	63	2 tours	

Points des constructeurs		
CONSTRUCTEUR	POINTS	CUMULATIF
Williams-Renault	4	69
Ferrari	10	35
Benetton-Renault	6	24
McLaren-Mercedes	2	18
Ligier-Mugen-Honda	1	12
Sauber-Ford	3	10
Jordan-Peugeot	0	8
Tyrrell-Yamaha	0	5
Footwork-Hart	0	1

Points des pilotes		
PILOTE	POINTS	CUMULATIF
HILL	0	43
VILLENEUVE	4	26
SCHUMACHER	10	26
ALESI	6	17
PANIS	0	11
COULTHARD	0	10
IRVINE	0	9
HAKKINEN	2	8
BERGER	0	7
BARRICHELLO	0	7
FRENTZEN	3	6
SALO	0	5
HERBERT	0	4
BRUNDLE	0	1
VERSTAPPEN	0	1
DINIZ	1	1

Meilleurs temps

VITESSE DU GAGNANT:
Michael Schumacher 153,785 km/h

TOUR LE PLUS RAPIDE:
Michael Schumacher 1:45,517
161,274 km/h

Le Grand Prix du Canada

 Montréal, Canada

Comme je m'y attendais, le Grand Prix de mon pays natal a été pour moi un mélange de tension et de plaisir, sur la piste comme ailleurs. J'étais content d'être de retour à Montréal, l'une de mes villes préférées, et de constater l'intense intérêt que suscitait la course. Mais les espoirs des fans et l'attention des médias ont exercé sur moi une pression additionnelle: celle d'obtenir de bons résultats sur le circuit nommé en l'honneur de mon père.

Il me semblait que cela faisait longtemps – plus longtemps que deux semaines – que le dernier Grand Prix avait eu lieu, mais c'est du temps que j'ai bien investi. Après une séance d'essais fort productive en Espagne, nous avons entamé notre voyage en Amérique du Nord en allant voir une course d'IndyCar, à Detroit. J'avais invité mon ingénieur de course, Jock Clear, et plusieurs autres membres de l'équipe Williams-Renault, pour leur montrer l'endroit où j'avais couru pendant deux ans. L'expérience a été aussi utile qu'agréable, d'autant plus que mon ancien patron d'IndyCar, Barry Green, et tous les membres de son équipe ont bien pris soin de nous.

Le circuit Gilles-Villeneuve

Le circuit de ma ville a été amélioré, et nos voitures y étaient bien adaptées. Damon et moi avons donné un beau spectacle à nos fans, qui ont apprécié sa performance autant que la mienne.

« La course a été âpre dès le départ; à chaque tour, il fallait foncer à plein régime. Jusqu'à l'arrivée, la lutte allait rester très serrée entre Jacques et moi, parce que durant tout le week-end l'écart entre nous allait demeurer très mince. **»**

DAMON HILL
(pilote Williams-Renault)

Quel plaisir de se trouver sur un circuit de course sans avoir à travailler! Et quel plaisir de renouer avec d'anciens amis! J'avais oublié à quel point le monde de l'IndyCar est détendu, du moins hors de la piste; au moment de partir pour Montréal, nous étions tous reposés. Il le fallait, car toute la semaine du Grand Prix du Canada serait on ne peut plus trépidante.

Il y avait beaucoup de travail à faire à Montréal, mais, au moins, je me trouverais en pays de connaissance, dans une grande ville où je me sens à l'aise. En outre, comme Sandrine fréquente une université montréalaise, je me sentais privilégié de pouvoir compter sur son soutien durant les quelques jours de tension qui suivraient.

Après toutes les activités d'avant-course, je me suis senti soulagé de monter enfin dans la Williams-Renault le vendredi, et de constater que le circuit avait été amélioré et que notre voiture y était bien adaptée. L'élimination d'une chicane lente avait créé un long droit qui présentait davantage d'occasions de dépassement. Malgré l'absence de virages rapides, dans lesquels la supériorité aérodynamique de notre monoplace nous donnait un avantage, celle-ci se comportait merveilleusement bien sur la piste. Dès le départ, j'ai trouvé la cadence.

Mon expérience sur ce circuit, où j'avais remporté la course de Formule Atlantique en 1993, ne me serait utile que dans le sens où je saurais à quel moment braquer mes roues à gauche ou à droite. Du point de vue de la conduite, la vitesse plus grande de la Formule 1 dans les virages et sa puissance de freinage supérieure changeaient tout. Mais tout cela était devenu une seconde nature chez moi, et, l'expérience aidant, nous arrivions à nous préparer pour chaque week-end de plus en plus rapidement.

Dès le premier jour, le circuit était bondé de spectateurs; à la fin du week-end, un record d'assistance aurait été établi. De toute évidence, du fait que mon père et moi sommes tous deux nés à quelques kilomètres du parcours, c'était moi que la plupart des spectateurs acclamaient. Mais leur enthousiasme était source d'inspiration pour tous les autres pilotes, et je ne crois pas que le fait de courir devant les fans de sa ville natale permette au pilote de conduire plus vite. Si un pilote était plus rapide au Grand Prix de son pays natal, cela voudrait dire qu'il ne donne pas le meilleur de lui-même aux autres Grands Prix.

J'ai été impressionné de voir les spectateurs prendre tant de plaisir à l'événement et ravi de constater leur grand *fair-play*.

Une pression de plus

Les fans étaient polis, mais leurs attentes ont exercé sur moi une pression de plus. À cause de l'attention intense des médias et des activités trépidantes précédant la course, je me suis senti considérablement soulagé quand j'ai pu enfin prendre le volant de ma voiture.

Le samedi, quand Damon a réussi à m'éclipser pour la pole position, ils l'ont applaudi. Ils ont apprécié le spectacle que nous leur avons donné durant les qualifications – Damon m'a battu avec une avance de deux centièmes de seconde – ainsi que la course elle-même, qui a été une lutte à finir entre Damon et moi.

J'ai décidé de ne faire qu'un arrêt au stand, Damon a choisi d'en faire deux. Cette stratégie signifiait que ma voiture serait plus lourde de carburant au départ; il était donc important pour moi de prendre la tête et d'empêcher Damon de profiter de la légèreté de sa voiture au cours des premiers tours. Mon départ a été excellent; celui de Damon aussi. La différence entre nous – sa pole position – lui a suffi pour rester devant moi à l'entrée du premier virage.

C'est ainsi que le reste de la course s'est déroulé, lui devant, moi derrière, mais tout n'a pas été aussi simple qu'il y paraît. J'ai poussé mon engin au maximum, pour que Damon soit obligé de faire de même, et qu'il risque ainsi de commettre une erreur ou de se placer dans une situation difficile par rapport à ses poursuivants. Nos tours étaient quasiment aussi rapides que durant les qualifications. Les fans appréciaient le spectacle. Un peu avant la fin de la course, ma voiture étant plus légère, j'ai pu me rapprocher de Damon et établir le record du tour. J'ai alors vu les spectateurs redoubler d'enthousiasme et d'excitation. Ils ont dû s'épuiser à se démener comme cela! La course a été formidable; j'étais content de pouvoir remercier la foule de son soutien en conduisant avec vigueur et en terminant la course en bonne position.

Bien entendu, cela n'était pas aussi satisfaisant qu'une victoire, mais la course avait été acharnée et elle a valu beaucoup de points à l'équipe. Nous avons tous trimé, et nos efforts nous ont rapporté. Ma voiture avait donné son meilleur rendement de la saison, qui n'était entamée qu'à moitié.

Journal du Grand Prix du Canada

Lundi

Midi: Arrivée à l'aéroport de Montréal. Chaque fois que j'atterris à Montréal, je ressens une immense joie quand les roues de l'avion touchent le sol. Je suppose que cela a quelque chose à voir avec le retour au bercail.

13 h: Nous arrivons dans un hôtel du centre-ville de Montréal, où Sandrine m'attend. Son université se trouve à quelques pas d'ici. Mon agent, Craig Pollock, occupe la suite adjacente à la mienne. Comme nous allons rester à l'hôtel toute la semaine, nous défaisons nos valises.

19 h 30: Sandrine et moi allons souper avec des amis dans un restaurant du quartier. Ces gens me traitent de la même façon qu'avant, c'est pourquoi nous sommes restés amis. (Je connais l'un d'eux depuis l'âge de 8 ans.) Nous avons changé avec l'âge, bien entendu, mais notre attitude les uns envers les autres est restée la même. Il y a quelque chose de différent dans les rues de la ville. On dirait que partout où mon regard se pose, je me vois sur des tableaux, des affiches et des silhouettes grandeur nature découpées dans le carton. Cela me dérange un peu de toujours voir mon image qui me regarde le sourire aux lèvres.

Mardi

Nous nous sommes levés tard et n'avons quitté l'hôtel que l'après-midi, pour aller magasiner. En m'habillant de façon anonyme et en gardant la tête baissée, j'ai pu éviter les attroupements d'amateurs de course. Les gens me dévisageaient, mais ils n'étaient pas certains de me reconnaître. Je suppose que je ne ressemblais pas au type en combinaison de pilote dont la silhouette de carton surgissait un peu partout dans la ville et qui commençait à m'agacer. Toutefois, les fans qui nous ont reconnus se sont montrés très polis et prévenants.

Dans les magasins, Sandrine a surtout cherché des vêtements, tandis que je regardais les livres et les disques compacts. Je m'intéresse aux nouveaux groupes canadiens et à la musique québécoise, ainsi qu'aux artistes nord-américains plus traditionnels, dont les disques tardent parfois à arriver à Monaco. J'ai acheté plusieurs disques et tout un lot d'ouvrages de science-fiction, dont certaines fantaisies humoristiques, ma dernière passion. Je les achète pour plus tard, car en ce moment, j'ai déjà une soixantaine de livres à lire.

Mercredi

7 h 30: Réunion et petit déjeuner dans la suite d'hôtel pour planifier le reste de la semaine. Les demandes sont nombreuses; je commence à avoir l'impression d'être une souris en cage.

Pas de surprise

Certaines des choses qui me sont arrivées n'arrivent certes pas à tout le monde. J'ai eu de la chance et j'en suis heureux. Mais quand vous obtenez les résultats que vous vouliez, après avoir travaillé dur et vous être attendu à les obtenir, il n'y a pas beaucoup de surprise.

11 h - 14 h: Conférence de presse au Musée des beaux-arts, sous le feu des projecteurs, devant environ 250 journalistes et photographes surtout canadiens. Ensuite, 15 entrevues individuelles pour la radio et 15 autres pour la télévision. Nous voulons satisfaire à nos obligations envers les médias en une seule séance, afin que je puisse par la suite concentrer toute mon attention sur la course. Ce n'est pas facile d'être le centre de l'attention dans ce que l'on appelle maintenant la «Jacquomanie».

La conférence de presse s'est déroulée en français et en anglais. J'ai trouvé drôle, quand j'y ai plus tard pensé, de parler avec l'accent québécois aux médias francophones. Normalement, c'est ce que je fais quand je m'adresse à une seule personne, mais, là, je le faisais devant tout un auditoire. J'ai toujours passé de l'accent français à l'accent québécois sans même y penser. De même, je trouve plus facile de m'exprimer en anglais sur certains sujets, et quand je parle l'italien, je pense en italien.

Dans une langue comme dans l'autre, bon nombre des questions que l'on m'a posées à Montréal portaient sur mon père. C'était naturel, puisque le Grand Prix du Canada est disputé sur le circuit Gilles-Villeneuve, où mon père a remporté sa première course de Formule 1 (en 1978), et que le Grand Prix aurait lieu le jour de la Fête des pères. J'ai toutefois trouvé difficile à comprendre l'incapacité de certains journalistes à accepter ma façon de penser. Ils me considèrent comme le fils qui devrait faire renaître la légende Villeneuve; quand je leur dis que je ne suis pas comme mon père et que j'ai ma propre personnalité, ils y voient quelque chose de négatif et un manque de respect pour mon père. Tout cela est stupide; j'ai toujours adoré mon père.

À l'avant-scène

La conférence de presse, donnée devant 250 journalistes et photographes, a duré plusieurs heures. On m'a demandé et redemandé comment je me sentais à l'idée de participer au Grand Prix de mon pays natal sur un circuit portant le nom de mon père.

19 h 30: J'invite l'équipe Williams et certains de nos commanditaires à dîner au restaurant. Nous sommes environ 75. Code vestimentaire: à la Jacques, c'est-à-dire détendu. Nous sommes amis et nous travaillons ensemble; la soirée est censée être un moment de détente et de communication sans formalité; pourquoi ne pas nous habiller en conséquence? Soirée agréable; tout le monde s'amuse.

Jeudi

Après un réveil passablement tardif, Sandrine et moi sommes allés avec des amis dans une arcade de jeux vidéo. Les machines étaient reliées et interactives; la compétition a été vive.

15 h - 18 h 30: Rendez-vous au circuit. Réunion avec l'équipe. Discussions avec Jock Clear et avec les mécaniciens de ma voiture.

19 h - 20 h: Damon et moi participons à une soirée commanditée à l'Auditorium de Verdun, où nous sommes interviewés devant une foule nombreuse.

20 h 30: Sandrine et moi invitons quelques amis à dîner à l'hôtel, dans notre suite. En attendant le service à la chambre, je vais faire une course durant laquelle je rencontre un groupe de fans dans la rue. Me croyant seul, ils veulent que je dîne avec eux. C'est gentil. Voilà bien un autre exemple de l'atmosphère familiale qui règne chez les fans montréalais.

Vie privée

Le soutien de Sandrine durant cette semaine trépidante a été pour moi une prime. Chaque fois que nous le pouvions, nous nous sommes réservé des moments pour nous promener ensemble dans les rues de l'une de nos villes préférées.

Vendredi

8 h: Départ vers le circuit. Près de la piste se trouve un chemin boueux. Quelqu'un parie que je ne peux pas projeter de la boue sur le toit de la voiture. Je roule dans tous les trous d'eau, mais je n'y parviens pas.

Au circuit, j'ai été étonné par le nombre de spectateurs – plus de 54 000 – qui semblaient tous brandir un drapeau du Canada ou du Québec. Je ne fais pas de politique: je dis toujours que je suis un Québécois du Canada. Si vous vous rendez sur Mars, vous y êtes un terrien. L'enthousiasme et la joie de la foule m'ont réchauffé le cœur.

11 h - midi: Me voilà enfin au volant de la voiture! J'arrive cinquième pour ce qui est du tour le plus rapide.

13 h - 14 h: J'arrive huitième pour ce qui est du tour le plus rapide; j'ai davantage de carburant dans mon réservoir et je concentre mon attention sur les réglages de course. J'ai confiance en moi; je crois qu'une victoire est possible.

18 h: Départ du circuit un peu plus tôt que d'habitude, parce que la voiture se comporte très bien. Autre repas dans la suite d'hôtel. Craig se joint à nous autour de la grande table de marbre; nous parlons de tout et de rien, mais pas de la course, histoire de détendre l'atmosphère. En public, les pressions sont intenses, mais en privé je suis ravi de l'évolution de notre situation.

Samedi

7 h: Départ de l'hôtel. Petit déjeuner au circuit avec l'équipe. La foule est plus nombreuse que jamais – il y aurait 72 000 spectateurs. Nous sommes déterminés à leur en donner pour leur argent.

9 h - 9 h 45 et 10 h 15 - 11 h: Record du tour des séances d'entraînement combinées. La voiture est formidable; durant les qualifications, j'ai l'impression que la pole position est possible pour moi.

13 h - 14 h: Damon me bat par deux centièmes de seconde et mérite la pole position. Je suis déçu, car j'étais persuadé que ma voiture pouvait rouler plus vite encore que durant mon meilleur tour. La foule ne semble pas s'en faire – la lutte a été belle – et acclame Damon.

16 h 35: Retour à l'hôtel. Douche et massage administré par Erwin Gollner, le physiothérapeute de l'équipe. Ma sœur Mélanie arrive de New York, où elle étudie la musique. Je suis heureux de la revoir après une longue séparation. Elle assistera à la course avec une quinzaine d'autres de mes invités dans le salon situé à l'étage des stands.

Dimanche

6 h 45: Déjà debout. C'est le grand jour pour moi. Je ne suis pas un oiseau du matin; il m'est donc difficile de me lancer. Mais nous avions prévu les retards que causeraient les embouteillages sur la route menant au circuit. Sandrine reste couchée; elle partira plus tard, en hélicoptère. Je suis content qu'elle profite d'un peu de sommeil supplémentaire, car elle est encore moins matinale que moi.

8 h 30 - 9 h: Aux essais libres, Damon et moi arrivons respectivement aux premier et deuxième rangs, ce qui laisse présager de bons résultats dans la course.

9 h 30 - 12 h 30: Discussion avec l'équipe; brin de causette avec des amis. Erwin me masse. Repas léger au salon d'accueil de Williams.

L'histoire de la course

Damon a réussi à prendre la tête du peloton dès le départ et à la garder jusqu'à la fin de la course. Mais, entre le départ et l'arrivée, il s'est livré une belle lutte.

Fête dans ma ville

Je n'avais qu'une seconde position à fêter, mais la soirée d'après-course remporte la palme. En fait, elle a duré jusqu'au lendemain matin. Quel beau point final à ce week-end, et à la première moitié de ma première saison en Formule 1!

13 h - 14 h 36: Je talonne Damon durant tout le Grand Prix du Canada et finis la course 4,183 secondes derrière lui, sous les regards de la plus grande foule jamais rassemblée au Canada à l'occasion d'une compétition sportive d'une seule journée: plus de 100 000 spectateurs! Je regrette de ne pas avoir gagné pour eux, mais j'ai obtenu le record du tour et j'ai été le deuxième à franchir la ligne d'arrivée.

17 h 30: Retour à l'hôtel pour me préparer à vivre une grande soirée. Sandrine a organisé un souper et une fête pour une quarantaine d'entre nous, dans un restaurant appartenant à l'un de nos amis. Généralement, la fête qui suit une course est un gala commandité, où il faut s'habiller chic et parler à toutes sortes d'inconnus. Ce soir, c'est une simple fête que m'offre Sandrine, avec des invités sympathiques, dont Mika Salo et David Coulthard, deux gars avec qui on peut vraiment s'amuser.

Après le repas, nous sommes allés dans une discothèque, où certains mécaniciens de Williams nous ont rejoints. Ensuite, une quinzaine d'entre nous sont retournés au restaurant, où nous disposions d'un étage entier. Sandrine avait apporté le lecteur de disques; nous avons fait la fête au son de nos propres disques jusqu'à 6 h. Souvent, après la course, on va prendre un verre et on s'ennuie vite. Pas ce soir-là. Il y avait beaucoup de copains à qui parler d'autre chose que de course. La soirée a été formidable; c'est si rare. Cela faisait sans doute des années que je n'avais pas participé à une telle fête. Quelle belle façon de mettre un point final au week-end, ainsi qu'à la première moitié de ma première saison en Formule 1.

Lundi et mardi

Comme je ne quittais Montréal que le mercredi, j'ai eu deux jours pour m'amuser et pour me reposer. Une fois la course finie, on aurait dit que tout le monde avait repris sa vie normale. Moins de gens semblaient me reconnaître; ceux qui le faisaient s'en rendaient compte après mon passage. Chacun vaquait à ses occupations, ce qui ne me déplaisait pas.

Je suis allé rendre visite à ma grand-mère pour avoir des nouvelles de la famille. J'ai également rendu visite à des amis, dont l'un, chanteur, était en train d'enregistrer un disque dans un studio. Un autre de mes amis se mariait le samedi suivant; malheureusement, il m'était impossible d'assister à ses noces. Sandrine m'a représenté. Je suis rentré en Europe où d'autres essais m'attendaient. Je reprenais ma vie de coureur.

Le Grand Prix du Canada — 16 juin 1996

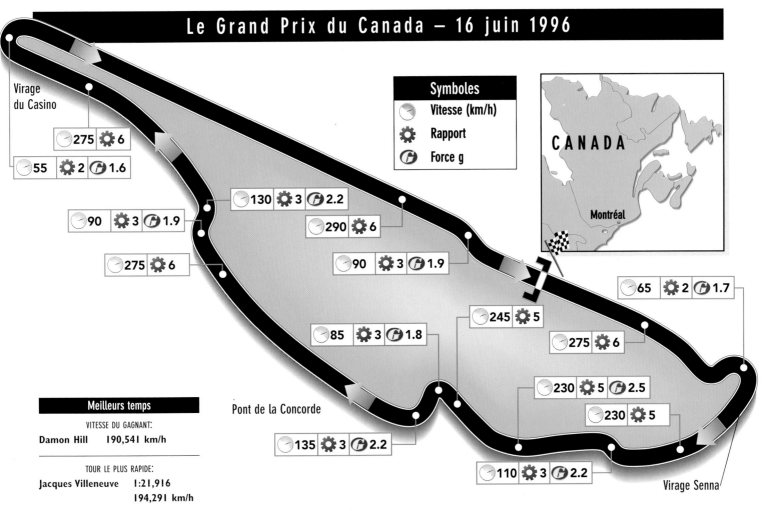

Virage du Casino

275 ⚙ 6

55 ⚙ 2 ⓕ 1.6

130 ⚙ 3 ⓕ 2.2

90 ⚙ 3 ⓕ 1.9

290 ⚙ 6

275 ⚙ 6

90 ⚙ 3 ⓕ 1.9

65 ⚙ 2 ⓕ 1.7

245 ⚙ 5

275 ⚙ 6

85 ⚙ 3 ⓕ 1.8

230 ⚙ 5 ⓕ 2.5

230 ⚙ 5

135 ⚙ 3 ⓕ 2.2

110 ⚙ 3 ⓕ 2.2

Virage Senna

Pont de la Concorde

Symboles

🕐	Vitesse (km/h)
⚙	Rapport
ⓕ	Force g

CANADA

Montréal

Meilleurs temps

VITESSE DU GAGNANT:

Damon Hill   190,541 km/h

TOUR LE PLUS RAPIDE:

Jacques Villeneuve   1:21,916
194,291 km/h

Temps de qualification

RANG	PILOTE	ÉCURIE	TEMPS
1	HILL	Williams-Renault	1:21,059
2	VILLENEUVE	Williams-Renault	1:21,079
3	SCHUMACHER	Ferrari	1:21,196
4	ALESI	Benetton-Renault	1:21,529
5	IRVINE	Ferrari	1:21,657
6	HAKKINEN	McLaren-Mercedes	1:21,807
7	BERGER	Benetton-Renault	1:21,926
8	BARRICHELLO	Jordan-Peugeot	1:21,962
9	BRUNDLE	Jordan-Peugeot	1:22,321
10	COULTHARD	McLaren-Mercedes	1:22,332
11	PANIS	Ligier-Mugen-Honda	1:22,481
12	FRENTZEN	Sauber-Ford	1:22,875
13	VERSTAPPEN	Arrows-Hart	1:23,067
14	SALO	Tyrrell-Yamaha	1:23,118
15	HERBERT	Sauber-Ford	1:23,201
16	FISICHELLA	Minardi-Ford	1:23,519
17	KATAYAMA	Tyrrell-Yamaha	1:23,599
18	DINIZ	Ligier-Mugen-Honda	1:23,959
19	LAMY	Minardi-Ford	1:24,262
20	BADOER	Forti-Ford	1:25,012
21	ROSSET	Arrows-Hart	1:25,193
22	MONTERMINI	Forti-Ford	1:26,109

Résultats de la course

RANG	PILOTE	TOURS	ÉCART	TEMPS
1	HILL	69		1:36:03,465
2	VILLENEUVE	69	4,183	1:36:07,648
3	ALESI	69	54,656	1:36:58,121
4	COULTHARD	69	1:03,673	1:37:07,138
5	HAKKINEN	68	1 tour	
6	BRUNDLE	68	1 tour	
7	HERBERT	68	1 tour	
8	FISICHELLA	67	2 tours	

Points des constructeurs

CONSTRUCTEUR	POINTS	CUMULATIF
Williams-Renault	16	85
Ferrari	0	35
Benetton-Renault	7	28
McLaren-Mercedes	3	23
Ligier-Mugen-Honda	0	12
Sauber-Ford	0	10
Jordan-Peugeot	0	9
Tyrrell-Yamaha	0	5
Footwork-Hart	0	1

Points des pilotes

PILOTE	POINTS	CUMULATIF
HILL	10	53
VILLENEUVE	6	32
SCHUMACHER	0	26
ALESI	4	21
COULTHARD	3	13
PANIS	0	11
HAKKINEN	2	10
IRVINE	0	9
BERGER	0	7
BARRICHELLO	0	7
FRENTZEN	0	6
SALO	0	5
HERBERT	0	4
BRUNDLE	1	2
VERSTAPPEN	0	1
DINIZ	0	1

« À titre personnel, je peux dire que je suis ravi du travail de Jacques. Après tout, c'est un nouveau venu dans le monde de la Formule I, et, à la mi-saison, il se trouve au deuxième rang du championnat des conducteurs. Que dire de plus? »

FRANK WILLIAMS
(*propriétaire de l'équipe*)

« Certes, Jacques est un coureur très rapide; cela ne fait aucun doute. Mais je ne crois pas que l'on puisse déjà dire qu'il est très rapide comparé aux champions de la Formule I comme Ayrton Senna et Michael Shumacher. »

JONATHAN PALMER
(*commentateur de BBC TV*
et ancien pilote de Formule 1)

« Je crois que sa première demi-saison a été fantastique; sa première course a été incroyable. Je suis convaincu qu'il est promis à un brillant avenir. »

JACKIE STEWART
(*trois fois champion du monde*)

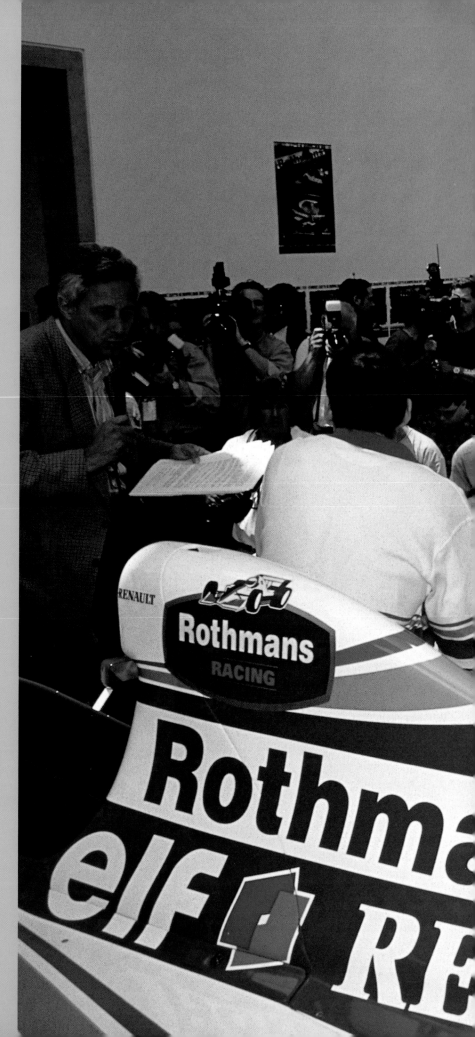

Rapport de mi-saison

Le Grand Prix du Canada, le huitième de 16, marquait la fin de la première moitié de ma première saison de Formule 1. J'étais satisfait des progrès accomplis. Avec le recul, je peux dire que notre amélioration avait été constante. L'expérience acquise durant les trois premières courses m'a conduit à la victoire du Nürburgring; même les revers occasionnels que j'ai essuyés ont contribué ultérieurement à l'obtention de meilleurs résultats. Par exemple, les leçons apprises lorsque j'ai dérapé sous la pluie au Brésil m'ont été fort utiles durant le Grand Prix d'Espagne, lui aussi disputé sous la pluie.

À chaque week-end, même si la plupart des circuits m'étaient inconnus, j'ai pu atteindre ma cadence de plus en plus tôt, d'une part parce que je conduisais mieux, et d'autre part parce que notre travail d'équipe s'améliorait à mesure que nous apprenions à mieux nous connaître durant les essais et les courses. Je comprenais mieux ma voiture; Jock Clear et les mécaniciens avaient une meilleure idée de ce que je voulais. Tout cela nous facilitait la tâche, car nous perdions moins de temps à trouver les bons réglages, ce qui nous permettait de nous mettre à l'œuvre plus tôt. Mais il y avait encore place pour l'amélioration pour ce qui était d'atteindre la cadence plus rapidement, car, surtout durant les essais, je traînais un peu.

Durant les qualifications des huit premières courses, j'ai obtenu la pole position une fois, la seconde case de la grille de départ trois fois, la troisième trois fois aussi, ainsi que le dixième rang à Monaco, le seul Grand Prix où mes qualifications ont été médiocres. Un bon moyen d'améliorer mon rendement à ces essais serait de passer moins de temps aux réglages de course, et de travailler davantage à l'entraînement le vendredi et le samedi, avec moins de carburant dans le réservoir et de nouveaux pneus, afin de simuler les conditions prévalant durant les qualifications. Au cours de celles-ci, chaque seconde compte – même les fractions de seconde, comme je l'ai appris à mes dépens au Grand Prix du Canada, où mes deux centièmes de seconde de retard sur Damon ont eu un effet majeur sur les résultats de la course.

J'ai dû abandonner trois fois la course durant cette première moitié de saison, chaque fois à cause d'un

Relation de travail

À ce stade de la saison, Jock Clear et moi nous connaissions mieux, ce qui nous rapportait sur la piste.

Points marqués

Mon total de points a aidé l'équipe à prendre la tête du championnat des constructeurs, ce qui enchantait Frank Williams.

incident. L'an passé, en IndyCar, j'ai terminé chaque course où je n'ai pas eu d'ennuis mécaniques. Jusqu'à présent, en 1996, notre Williams-Renault s'est révélée parfaitement fiable, ce qui a rendu mes abandons encore plus frustrants. J'ai été très irrité par l'erreur que j'ai commise au Grand Prix du Brésil, erreur qui m'a forcé à me retirer de la course. Au moins, je n'avais personne d'autre que moi à blâmer, contrairement à ce qui s'est passé à Saint-Marin et à Monaco. À Saint-Marin, avant d'être obligé de m'arrêter à cause de dommages probablement subis durant la collision du premier tour, ma vitesse indiquait que j'avais de bonnes chances d'obtenir des résultats satisfaisants. À Monaco, j'ai été frustré de devoir abandonner la course à cause d'un autre pilote, parce que cet abandon nous a coûté quelques points faciles qui s'offraient à nous du fait que tous les principaux concurrents ont été forcés eux aussi d'abandonner la course.

Quoi qu'il en soit, je suis monté sur le podium à la fin de toutes les courses que j'ai pu terminer. Sur le plan des résultats – en cinq épreuves: une victoire, trois deuxièmes places et une troisième –,

on peut dire que je me suis bien débrouillé pour un nouveau venu dans le monde de la Formule 1. Pourtant, j'avais la vitesse qu'il fallait pour gagner d'autres courses, et j'aurais sans doute gagné si les circonstances avaient été un tant soit peu différentes. J'ai presque remporté la victoire en Australie, mais j'ai dû ralentir à cause d'une fuite d'huile. Au Grand Prix du Canada, ma vitesse m'aurait permis de gagner, mais le fait que je me sois trouvé au deuxième rang de la grille de départ a été pour moi un handicap. Même au Grand Prix de Saint-Marin, où j'ai été mis hors course après l'incident du premier tour, ma vitesse m'aurait permis de remporter la victoire.

Au classement des conducteurs, mes 32 points accumulés durant la première moitié de la saison me plaçaient au second rang, derrière Damon, qui avait souvent fini les courses en tête du peloton. Dans l'ensemble, j'ai réussi à atteindre mon but, qui était de devenir un concurrent valable, capable de m'attaquer aux coureurs de tête. Cela resterait mon objectif pour le reste de la saison; l'expérience acquise durant la première moitié de la saison me serait précieuse dans le feu de la compétition, laquelle ne manquerait pas de s'intensifier au fil des courses.

Collection de trophées

Parmi les trophées reçus depuis le début de la saison, voici le trophée Lou Marsh, remis par Gaétan Boucher à l'athlète de l'année au Canada.

« Damon Hill a en la personne de Jacques Villeneuve un coéquipier qui l'a aiguillonné durant toute la première moitié de la saison, mais pas autant que celui-ci pourra le faire l'an prochain, quand il aura plus d'expérience. »

MICHAEL SCHUMACHER
(pilote de Ferrari et champion du monde)

« Je crois que Villeneuve fera la vie dure à Damon Hill durant la seconde moitié de la saison. »

KEN TYRELL
(propriétaire d'équipe)

« De toute évidence, quiconque arrive à gagner un Grand Prix, l'Indy 500 et le championnat d'IndyCar est un grand coureur automobile. Il ne fait aucun doute que Jacques Villeneuve est un pilote de classe mondiale. Il m'est difficile de l'évaluer pour le moment, car il a profité de l'avantage de sa voiture. Les circuits ne lui étaient pas familiers. Il nous faudra réserver pour plus tard notre jugement final. »

MARTIN BRUNDLE
(pilote de Jordan)

« Bien entendu, je crois qu'il est très rapide. Ses résultats le prouvent. »

JEAN ALESI
(pilote de Benetton)

Le Grand Prix de France

 Magny-Cours, France

Compte tenu de mon accident durant les qualifications et de la douleur au cou qu'il m'a causée, je considère ma deuxième position au Grand Prix de France comme très satisfaisante. Avec la victoire de Damon, nous avons obtenu les meilleurs résultats possibles pour l'équipe Williams-Renault.

Après toute une semaine de pression au Grand Prix du Canada, j'ai pu me détendre quelques jours à Montréal, avant de me rendre à Silverstone pour mettre à l'épreuve certaines choses que Jock Clear et moi voulions vérifier avant le Grand Prix de France. Cette course revêtait une importance particulière pour notre fournisseur de moteurs, Renault, et pour moi, qui habite dans ce coin du monde depuis nombre d'années. Je me suis rendu en voiture de Monaco à Magny-Cours. Même si le trajet a pris six heures à cause de la densité de la circulation, je suis arrivé frais et dispos, débordant d'optimisme.

En fait, j'avais mal au cou avant le début du week-end, peut-être à cause de la climatisation à l'hôtel. Mais j'ai vite oublié la douleur quand j'ai commencé à m'entraîner sur le circuit de Magny-Cours. Il m'a été encore plus facile de trouver vite la cadence grâce aux nouveaux moteurs, plus puissants, de Renault. Nous étions convaincus d'avoir de bonnes chances de nous qualifier.

« J'ai été vraiment surpris de voir avec quel doigté Jacques pouvait conduire. Sa douleur au cou ne semblait pas le ralentir. »

ERWIN GOLLNER
(physiothérapeute de l'équipe Williams)

Mais les quelques averses du samedi matin ont rendu nécessaires de fréquents changements de réglages, adaptés aux conditions météorologiques. Je n'ai réussi à faire que cinq tours environ avec la voiture réglée pour temps sec, ce qui s'est révélé suffisant pour la qualification. Mon temps, avec le premier jeu de pneus, a été raisonnable; mais le premier tour avec le deuxième jeu n'a pas été aussi rapide que prévu. J'ai donc décidé de vraiment pousser ma voiture au tour suivant.

À la sortie de l'un des virages les plus rapides du circuit, à une vitesse d'environ 220 km/h, ma voiture s'est légèrement écartée de la trajectoire. Mais comme je ne voulais pas perdre ce tour, j'ai choisi de ne pas lever le pied de l'accélérateur. La voiture a franchi la bordure de la piste; pendant un instant, mes roues ont décollé. Elles sont retombées sur l'herbe mouillée: il était inutile de freiner et quasiment impossible de diriger la voiture. J'ai perdu tout espoir de reprendre la maîtrise de mon véhicule au moment où une dépression dans le sol l'a projeté dans les airs; j'ai foncé dans une barrière de pneus.

Dans ce cas-ci, les pneus placés devant le mur de béton ont constitué un désavantage pour moi, du fait que ma voiture se déplaçait parallèlement au mur, et qu'il aurait peut-être été possible de glisser le long de celui-ci pour ainsi dissiper une partie de l'énergie cinétique. Au lieu de cela, l'impact a été fort au moment où les pneus du mur ont accroché la voiture, l'immobilisant très soudainement (à ce moment-là, la voiture roulait sans doute à 200 km/h), avant de la faire rebondir sur la piste.

Une autre voiture m'a frappé avant que le drapeau rouge ne vienne interrompre le tour; le mal était fait. Ma voiture était gravement endommagée. Mon casque avait heurté le volant ou le pare-brise et portait des marques de peinture. Toutefois, l'accident aurait pu être plus grave.

On dit généralement que le pilote devrait lâcher le volant dans des situations comme celle-là; mais le fait de garder les mains sur le volant m'a aidé au cours de deux accidents majeurs en IndyCar. Dans un accident, la force de l'impact est si grande qu'on risque une fracture de la clavicule, voire du cou, si toute l'énergie n'est dissipée que par le harnais.

J'ai subi une élongation des muscles du cou qui m'a causé une certaine douleur, mais pas au point de m'empêcher d'utiliser la voiture de réserve et de finir les qualifications aussi rapidement qu'avec ma première voiture. Comme j'y suis parvenu malgré un poids de carburant plus élevé et sans l'avantage du nouveau moteur, j'avais bon espoir de faire bonne figure – pourvu que la voiture et mon cou puissent faire leur travail.

Impossible de réparer la voiture accidentée. Les mécaniciens ont donc dû travailler jusqu'à 3 h pour en assembler une nouvelle. Pendant ce

Le bon travail d'Erwin

Erwin Gollner (à droite) m'a aidé à reprendre la course après l'accident. Il n'a pas ménagé ses efforts pour remettre mon cou en bon état, afin que je puisse courir. Plus tard, il m'a aidé à me rétablir plus vite.

temps-là, Erwin Gollner, le physiothérapeute de l'équipe Williams, s'est efforcé de redonner sa souplesse à mon cou. De toute évidence, tous les membres de l'équipe ont bien fait leur travail, puisque j'ai été le plus rapide durant les essais libres du dimanche matin. La voiture me semblait en parfait état, ce qui était essentiel puisque je partirais de la sixième case de la grille de départ et que les dépassements sont difficiles sur ce circuit.

Durant les premiers tours, mon cou était en moins bon état que ma voiture, mais la douleur s'est vite estompée sous l'effet de l'adrénaline. Pilotant de toutes mes forces, j'ai pu gagner quelques positions. J'ai été particulièrement ravi de dépasser Jean Alesi et de me retrouver ainsi en deuxième position. Jean est un pilote acharné, c'est bien connu, mais il est très *fair-play*; il ne m'a pas fait obstacle quand il a constaté que j'étais plus rapide que lui. En fait, ma vitesse a augmenté au fil de l'après-midi. Ce jour-là, le record du tour a joué le rôle d'un analgésique pour mon cou, qui n'a recommencé à me faire mal que vers la fin de la course.

Après l'accident de la veille, j'ai été plus que ravi de finir l'épreuve en force et d'ainsi remercier tous les membres de mon équipe qui m'avaient aidé à reprendre la piste. Une petite apparition sur le podium, après un long après-midi de travail, voilà le meilleur remède pour mon cou endolori.

Beau travail d'équipe

Je dois mon retour dans la course après l'accident à tous les membres de mon équipe. Notre voiture ne pouvant être réparée, les mécaniciens ont travaillé tard dans la nuit pour en assembler une autre, aussi fiable et rapide que la première.

Anatomie d'un accident

Cela a été mon pire accident en Formule 1, bien que j'en aie eu de plus graves en IndyCar. Avec le recul, je comprends que j'aurais pu l'éviter si j'avais relâché l'accélérateur; mais j'étais prêt à prendre le risque, vu l'importance d'une bonne position sur la grille de départ de ce circuit, où le dépassement est difficile.

Durant les qualifications, nous avions prévu de faire trois parcours de deux tours chacun. Mon meilleur tour du premier parcours n'étant pas assez rapide, j'étais résolu à y aller à fond de train au tour suivant, même si la voiture ne donnait pas son meilleur rendement du fait que la pluie nous avait empêchés d'en arriver aux meilleurs réglages pour temps sec.

Dans le premier virage rapide des tours de qualification précédents, la voiture a sous-viré et s'est déportée vers l'extérieur. Comme le bord de la piste l'a maintenue sur l'asphalte, je n'ai pas eu besoin de relâcher l'accélérateur. Mais, cette dernière fois, le sous-virage a été plus prononcé. Croyant que le bord me retiendrait de nouveau, j'ai gardé le pied sur l'accélérateur. Juste avant de frapper le vibreur, j'ai compris que j'allais sortir de la piste. Mais je me disais que, généralement, le pilote peut continuer de rouler avec deux roues dans l'herbe, ce qui ne lui fait perdre qu'un dixième de seconde environ. Je ne savais pas que l'inclinaison du bord était si abrupte du côté extérieur et il ne m'était pas venu à l'esprit que l'herbe devait être encore mouillée après la pluie du matin. Je me suis rendu compte de ces deux réalités trop tard pour que j'y puisse quoi que ce soit.

Quand ma voiture a sauté par-dessus le bord, j'allais encore à fond de train. Le dessous de la voiture a glissé sur la bordure et les roues se sont détachées du sol; j'ai ensuite atterri dans l'herbe mouillée, puis glissé sans vraiment perdre de vitesse. J'ai relâché l'accélérateur pour essayer de remonter sur la piste, mais j'avais perdu la maîtrise de ma voiture. Celle-ci est alors tombée dans une dépression du sol qui l'a projetée dans les airs. Elle a atterri en faisant des bonds; 20 mètres plus loin, elle heurtait la barrière de pneus.

Quelques secondes avant le choc, j'ai pensé que l'angle d'impact serait faible et que la voiture glisserait le long de la barrière sans trop de dommages. Mais quand j'ai vu les pneus qui s'approchaient à une vitesse folle, je me suis dit: «Le choc va être dur!» Je me suis agrippé au volant de toutes mes forces, en le poussant pour compenser la force de l'impact.

On dit qu'il ne faut pas tenir le volant dans un accident. Moi, je l'ai toujours fait, pour réduire la force du choc et empêcher le torse d'être projeté vers l'avant. Si le pilote serre le volant, il semble qu'il risque de se faire blesser par la vive rotation de celui-ci. À mon avis, avant que cela ne se produise, la force exercée par le pilote sur le volant le ferait se détacher. De toute façon, je préférerais me casser le poignet plutôt que le cou; de plus, mon expérience pratique prouve la validité de ma théorie. Au cours d'un gros accident en IndyCar, j'ai déformé le volant. Si celui-ci n'avait pas absorbé une partie de l'impact, c'est peut-être une partie de moi qui aurait été déformée.

Par-dessus le vibreur

Au cours des tours rapides antérieurs, le bord avait empêché ma voiture de quitter la piste. Croyant que ce serait de nouveau le cas, je n'ai pas relâché l'accélérateur. Mais, cette fois, la voiture a franchi le bord. Dès ce moment, je n'étais plus qu'un passager dans le bolide.

À propos du danger

Je ne pense jamais au danger; mais il est sans doute malsain de se croire immortel. Je crains les choses sur lesquelles je n'ai aucun contrôle. Dans une voiture qui dérape, j'ai toujours la possibilité de corriger la trajectoire. Mais si j'étais dans un ascenseur qui commence à tomber en chute libre, j'aurais probablement peur. Même si je n'ai jamais vraiment été effrayé durant une course, il m'est arrivé de penser, après avoir frôlé ou vécu un accident: «Cela aurait pu me faire très mal!» Mais comme je ne suis pas blessé, je le pense en souriant. Peut-être que, du fait que je n'ai jamais été blessé durant une course, j'ai l'impression que cela ne peut pas m'arriver. D'une certaine façon, cette attitude me permet de me rapprocher de la limite à ne pas franchir. On veut se trouver près de cette limite en ayant le sentiment de parfaitement maîtriser la situation, ce qui procure les sensations les plus fortes.

Au Grand Prix de France, j'ai eu la chance de ne rien briser d'autre que la voiture. Au moment de l'impact avec la barrière de pneus, la voiture s'est arrêtée net, avant de rebondir sur la piste. Je ne me suis pas rendu compte que mon casque a alors heurté les pneus de la barrière ainsi que le volant ou le pare-brise. Je n'ai senti aucun de ces chocs ni ne les ai vus, même si j'avais les yeux ouverts. Tout ce dont je me souviens, c'est d'avoir vu le volant à quelques centimètres de mon visage.

L'accident ne s'est pas vraiment produit «au ralenti» comme ils sont parfois décrits. Peut-être est-ce parce que j'ai l'habitude des accidents. Mon premier, survenu il y a quelques années, m'a davantage semblé se dérouler au ralenti que le dernier, perçu en temps réel, dont j'ai eu pleinement conscience. Avant même que la voiture ait cessé de tourbillonner, j'avais déjà communiqué par radio avec les gars du stand. Ils m'ont raconté plus tard que je leur ai dit: «⚡⚡☠!!! C'en a été tout un!»

Je voulais qu'ils sachent ce qui se passait, mais ils étaient déjà au courant – le monde entier aussi, d'ailleurs – parce que la caméra installée dans ma voiture a tout filmé. Voilà qui était pour le moins gênant. Mais ce n'était pas fini. Ma voiture amochée s'est trouvée parquée au beau milieu de la piste. La première chose que j'ai vue, c'est la McLaren de David Coulthard qui passait à toute vitesse à côté de moi. Je me suis dit: «Bon sang! Quelle chance qu'il ne m'ait pas frappé!» Les qualifications ont été interrompues. Je suis descendu de la voiture et j'ai fait un signe à la foule pour montrer que je n'étais pas blessé.

Durant l'accident, je n'ai pas eu le temps d'avoir peur. J'ai eu peur plus tard, mais jamais pour moi. Je crains seulement que d'autres soient blessés à cause de mes accidents. Jusqu'à maintenant, je n'ai jamais subi de blessures graves; le dernier ne m'a laissé qu'une douleur au cou. Cet accident ne m'a pas ralenti, et il a failli se reproduire durant la course. Par deux fois, ma voiture a commencé à grimper sur le même vibreur, mais j'ai pu corriger la situation en relâchant l'accélérateur, surtout parce que j'aurais vraiment eu l'air stupide d'avoir un deuxième accident au même endroit!

Après l'accident, les médecins m'ont permis de reprendre immédiatement le volant. Personnellement, je ne crois pas qu'on devrait laisser les pilotes conduire immédiatement après un impact violent. Ils devraient au moins prendre congé le reste de la journée parce que, si bien qu'ils se sentent, il est probable qu'ils sont quelque peu traumatisés. L'adrénaline pourrait masquer la douleur d'une blessure et, dans le feu de l'action, il est également possible que le pilote cache la vérité afin de reprendre la course. Je suis persuadé que certains pilotes ont repris le volant après un accident alors qu'ils n'étaient pas en état de courir. Dans un tel cas, leur jugement pourrait être altéré, ce qui les rend dangereux pour eux-mêmes et pour les autres.

Grâce à mon expérience des accidents, j'étais parfaitement conscient de mon état; je savais aussi que mon cou me ferait souffrir. Après un accident en IndyCar, par exemple, je n'ai ressenti aucune douleur avant le lendemain. C'est alors que mon cou m'a fait mal. La douleur s'est aggravée peu à peu et a

Adrénaline médicinale

La poussée d'adrénaline provoquée par la course a soulagé en partie ma douleur au cou. J'avais beaucoup à faire; parti de la sixième position sur la grille de départ, je devais gagner du terrain.

Le meilleur remède

Finir bon deuxième, derrière Damon mais devant Jean Alesi, a été le meilleur remède pour mon cou endolori. Mais il m'est resté un souvenir douloureux de ce qui peut arriver quand la vitesse joue contre le pilote.

duré près d'un mois. Dans ce temps-là, je ne disposais pas des services d'un physiothérapeute comme Erwin Gollner.

Erwin m'a vraiment aidé en me massant le cou pour l'assouplir et l'engourdir, et en l'enduisant de ses onguents magiques. Après la course, il m'a accompagné à Monaco, où il a continué de me prodiguer des soins. Les week-ends de course, Erwin s'assure que je consomme des boissons et des aliments nutritifs. Nous nous entendons bien, et j'aime sa compagnie. Avec lui, je peux me détendre; ainsi, les régimes les plus sévères qu'il m'impose me semblent moins pénibles.

Erwin ne travaille que sur mon corps, pas sur mon esprit. Je crois que c'est au pilote qu'il incombe de se préparer psychologiquement. Je ne crois pas non plus aux rituels d'avant-course – par exemple, dire une prière, porter des sous-vêtements de telle ou telle couleur ou monter dans la voiture toujours de la même façon. Ce sont des superstitions. Moi, je n'hésite pas à passer sous une échelle, et je me moque pas mal qu'un chat noir traverse mon chemin.

Je crois qu'on récolte ce que l'on a semé, mais je ne crois pas au destin. Il est trop facile d'accuser le destin. S'il faut blâmer quelqu'un, que ce soit soi-même. Par exemple, l'accident que j'ai eu durant le Grand Prix de France était de ma faute, à cent pour cent.

Le Grand Prix de France — 30 juin 1996

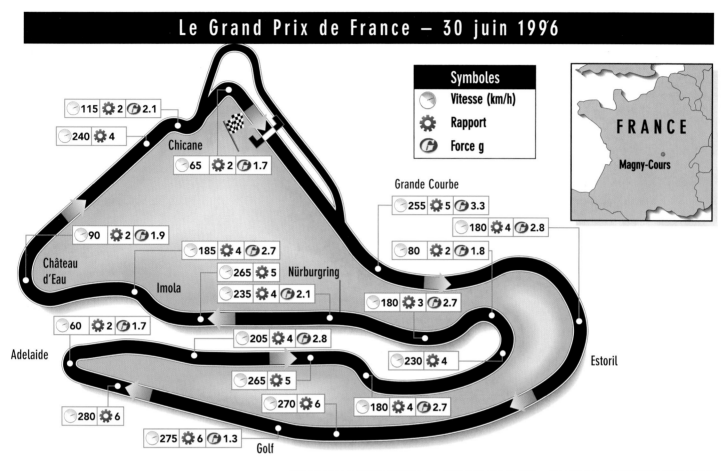

Symboles

- Vitesse (km/h)
- Rapport
- Force g

FRANCE

Magny-Cours

115 ⚙2 2.1
240 ⚙4
Chicane
65 ⚙2 1.7
Grande Courbe
255 ⚙5 3.3
180 ⚙4 2.8
90 ⚙2 1.9
185 ⚙4 2.7
80 ⚙2 1.8
Château d'Eau
265 ⚙5 Nürburgring
235 ⚙4 2.1
Imola
180 ⚙3 2.7
60 ⚙2 1.7
205 ⚙4 2.8
Adelaide
230 ⚙4
Estoril
265 ⚙5
280 ⚙6
270 ⚙6
180 ⚙4 2.7
275 ⚙6 1.3
Golf

Temps de qualification

RANG	PILOTE	ÉCURIE	TEMPS
1	SCHUMACHER	Ferrari	1:15,989
2	HILL	Williams-Renault	1:16,058
3	ALESI	Benetton-Renault	1:16,310
4	BERGER	Benetton-Renault	1:16,592
5	HAKKINEN	McLaren-Mercedes	1:16,634
6	VILLENEUVE	Williams-Renault	1:16,905
7	COULTHARD	McLaren-Mercedes	1:17,007
8	BRUNDLE	Jordan-Peugeot	1:17,187
9	PANIS	Ligier-Mugen-Honda	1:17,390
10	BARRICHELLO	Jordan-Peugeot	1:17,665
11	DINIZ	Ligier-Mugen-Honda	1:17,676
12	FRENTZEN	Sauber-Ford	1:17,739
13	SALO	Tyrrell-Yamaha	1:18,021
14	KATAYAMA	Tyrrell-Yamaha	1:18,242
15	VERSTAPPEN	Arrows-Hart	1:18,324
16	HERBERT	Sauber-Ford	1:18,556
17	FISICHELLA	Minardi-Ford	1:18,604
18	LAMY	Minardi-Ford	1:19,210
19	ROSSET	Arrows-Hart	1:19,242
20	BADOER	Forti-Ford	1:20,562
21	MONTERMINI	Forti-Ford	1:20,647
22	IRVINE	Ferrari	1:17,433

Résultats de la course

RANG	PILOTE	TOURS	ÉCART	TEMPS
1	HILL	72		1:36:28,795
2	VILLENEUVE	72	8,127	1:36:36,922
3	ALESI	72	46,442	1:37:15,237
4	BERGER	72	46,859	1:37:15,654
5	HAKKINEN	72	1:02,774	1:37:31,569
6	COULTHARD	71	1 tour	
7	PANIS	71	1 tour	
8	BRUNDLE	71	1 tour	
9	BARRICHELLO	71	1 tour	
10	SALO	70	2 tours	
11	ROSSET	69	3 tours	
12	LAMY	69	3 tours	

Points des constructeurs

CONSTRUCTEUR	POINTS	CUMULATIF
Williams-Renault	16	101
Ferrari	0	35
Benetton-Renault	7	35
McLaren-Mercedes	3	26
Ligier-Mugen-Honda	0	12
Sauber-Ford	0	10
Jordan-Peugeot	0	9
Tyrrell-Yamaha	0	5
Footwork-Hart	1	1

Points des pilotes

PILOTE	POINTS	CUMULATIF
HILL	10	63
VILLENEUVE	6	38
SCHUMACHER	0	26
ALESI	4	25
COULTHARD	1	14
HAKKINEN	2	12
PANIS	0	11
BERGER	3	10
IRVINE	0	9
BARRICHELLO	0	7
FRENTZEN	0	6
SALO	0	5
HERBERT	0	4
BRUNDLE	0	2
VERSTAPPEN	0	1
DINIZ	0	1

Meilleurs temps

VITESSE DU GAGNANT:
Damon Hill 190,183 km/h

TOUR LE PLUS RAPIDE:
Jacques Villeneuve 1:18,610
194,631 km/h

Le Grand Prix de Grande-Bretagne

 Silverstone, Angleterre

Ma seconde victoire de Formule 1 n'a peut-être pas été aussi spectaculaire que ma première, au Nürburgring, mais elle comptait davantage du fait qu'elle resserrait la lutte pour le championnat que Damon et moi nous livrions. J'étais heureux de me trouver de nouveau sur le palier supérieur du podium et satisfait d'avoir battu Damon au Grand Prix de son pays, comme il m'avait battu au Canada. Les résultats que j'ai obtenus à Silverstone ont réduit à 15 points seulement son avance dans le classement.

L a semaine précédant la course, nous avons fait des essais des plus réussis à Silverstone. Mon ingénieur de course, Jock Clear, les mécaniciens qui travaillent sur ma voiture et moi-même étions tous très optimistes pour ce qui était de nos chances de réussite. Après les essais, il m'est resté juste assez de temps pour rentrer deux jours chez moi, à Monaco, afin de me mettre en bonne forme physique. J'avais encore un peu mal au cou. Mais grâce à un entraînement rigoureux (dont du jogging sous le soleil brûlant du Midi), j'ai repris la forme, sur le plan physique comme sur le plan mental. J'étais d'autant plus optimiste que, pour la première fois de la saison, j'allais courir sur un circuit que je connais bien. Silverstone est le circuit attitré de l'équipe Williams-Renault, et tous les essais que nous y avons faits me plaçaient sur un pied d'égalité avec tous les autres coureurs. Même si Damon connaît encore mieux que moi le circuit et qu'il allait être avantagé par le fait de courir devant les fans de son pays, j'étais déterminé à aborder le week-end d'une manière forte et assurée.

Le vendredi, j'ai vite trouvé la bonne cadence et réussi à courir le tour le plus rapide de la journée, même si ma voiture ne me paraissait pas aussi performante que durant les essais. Elle me semblait manquer d'adhérence, mais la vitesse y était, et j'ai été le pilote le plus rapide durant la première moitié des qualifications du samedi. Damon était en forme, comme d'habitude, et nous nous sommes livré une vive bataille pour la pole position. Plus tard durant les essais, quand Damon a été plus rapide que moi, je n'ai pas pu réagir comme je l'aurais souhaité à cause d'une voiture plus lente que la mienne qui me barrait le chemin. J'ai donc dû me contenter d'une seconde position sur la grille de départ. Une seconde position durant les essais pourrait sembler satisfaisante, mais elle a pour moi été une grande déception ce jour-là, décidé que j'étais à obtenir la pole position.

Pour battre Damon, il fallait certes que mon départ soit parfait, mais nous devions également améliorer les réglages de course. La voiture était assez bonne pour que j'obtienne le tour le plus rapide durant les qualifications, mais elle me semblait trop nerveuse pour les 61 tours de ce qui serait sûrement une course féroce. Durant les essais libres du dimanche matin, Jock Clear et moi en sommes arrivés à des réglages qui avantageaient la voiture malgré la charge de carburant. Nous avons prévu deux arrêts au stand pour le plein et le remplacement des pneus, et avons adopté pour le départ une stratégie toute simple: prendre la tête et semer le plus vite possible les autres concurrents.

C'est exactement ce qui est arrivé, un peu avec l'aide de Damon. Son départ a été aussi mauvais que le mien a été bon; plusieurs voitures l'ont dépassé avant même le premier virage. Jean Alesi a lui aussi fait un bon départ

Stratégie à Silverstone

Pour la première fois de la saison, j'allais courir sur un circuit qui m'était familier. Même si Damon connaissait mieux Silverstone que moi et qu'il allait courir devant les fans de son pays, j'étais déterminé à aborder le week-end avec énergie et assurance.

Consolation aux essais

Arriver très près de Damon sur la grille de départ pourrait sembler un résultat respectable, mais cela a été pour moi une vive déception ce jour-là, où j'étais si résolu à obtenir la pole position. Craig a bien essayé de me consoler, mais je n'étais pas un pilote heureux.

et nous avons couru à la même hauteur quelque temps, avant qu'il glisse en deuxième position. Fort de l'avantage de n'avoir personne devant moi, j'ai pu pousser ma voiture à fond et me donner un coussin d'une vingtaine de secondes avant le premier arrêt au stand. Peu de temps après, la course s'est terminée pour Damon: la défaillance mécanique d'une roue a fait déraper sa voiture. Je ne peux dire que j'étais malheureux de le voir s'en aller, même si je sais à quel point lui et les fans britanniques étaient déçus.

Damon hors course, il était essentiel que je termine tous les tours et que je marque des points pour mon équipe, et pour moi-même. Je ne pouvais donc pas relâcher mes efforts. Certains de mes poursuivants avaient adopté une stratégie à arrêt unique. Il était donc capital que je me donne un autre coussin de quelques secondes pour compenser mon deuxième arrêt au stand. Cela a été relativement facile vu l'excellent rendement de ma voiture. Quand est venu le moment de m'arrêter de nouveau, je disposais d'une avance de plus d'une demi-minute.

Durant les derniers tours, j'ai augmenté mon avance sur mes concurrents. Je devais rester alerte et éviter les ennuis jusqu'à la ligne d'arrivée. Il me fallait surtout éviter de commettre une erreur pendant que je doublais des voitures plus lentes que la mienne. Je craignais également la possibilité d'une panne mécanique, mais la voiture s'est révélée aussi fiable que rapide.

Comme je n'avais pas de proche rival, la course était peut-être un peu ennuyeuse pour les spectateurs, mais ce n'était certainement pas le cas dans le cockpit. C'était du travail dur, par une après-midi chaude et humide, et Silverstone comporte quelques virages où la force g se fait rudement sentir et qui finissent à la longue par

« Quand Jacques s'est rendu compte qu'il n'avait pas réussi à obtenir la pole position durant les qualifications, il s'est fâché contre lui-même. La dernière fois que je l'ai vu comme cela, c'était avant une course d'IndyCar: il y a conduit de façon plus vigoureuse que d'habitude et il a facilement remporté la victoire. »

CRAIG POLLOCK
(agent de Jacques Villeneuve)

épuiser le pilote. Vers la fin de la course, j'ai pu me détendre un peu. Franchir la ligne d'arrivée sans aucun poursuivant sur les talons m'a permis de savourer le moment encore plus intensément.

La victoire était douce. Il est toujours agréable de gagner, mais ce l'était encore plus ce jour-là parce que la victoire s'était fait attendre longtemps. Après avoir remporté mon premier Grand Prix, celui d'Europe en avril, j'avais obtenu quelques bons résultats, mais la plupart du temps il semblait que j'arrivais toujours deuxième et Damon premier. Il y avait eu des courses que j'aurais dû gagner et d'autres où j'aurais dû marquer plus de points. Ma victoire en Grande-Bretagne prouve avec quelle rapidité la situation peut changer au championnat.

Nous jouissions d'une confortable avance au classement des équipes; Damon et moi serions libres de nous battre pour le championnat. Notre rivalité, tout amicale, se limitait à la piste; nous appréciions tous deux le défi à relever. Il aurait l'avantage sur moi aux trois courses suivantes – Allemagne, Hongrie et Belgique –, du fait que je n'avais jamais mis le pied sur ces circuits. Par ailleurs, je n'avais jamais vu celui du Nürburgring non plus avant d'y remporter la victoire.

Une autre victoire

Ma deuxième victoire de Formule 1 s'était fait attendre. J'ai été ravi de rendre la pareille à Damon en remportant le Grand Prix de son pays natal.

Mordus de l'automobile

Au circuit de Silverstone, avant chaque course, on fait défiler les coureurs dans des voitures décapotables pour que les spectateurs les voient de plus près. Pour plaire encore plus aux passionnés de l'automobile, nous paradons généralement dans des voitures anciennes célèbres – qui me laissent plutôt froid.

Je n'ai jamais été un mordu des voitures, du genre qui pose sur ses murs des affiches d'automobiles classiques, ou qui passe des heures à lire des revues spécialisées. Je m'intéresse jusqu'à un certain point aux dimensions technique et mécanique de l'auto. À l'école, j'ai toujours aimé les mathématiques et la physique; j'aime savoir comment les choses fonctionnent. Mais je ne pourrais jamais réparer une voiture correctement. Je pourrais sans doute la remettre en état de marche, mais mes connaissances en la matière sont limitées. J'avais l'habitude de travailler sur ma motocyclette de moto-cross; à un très jeune âge, j'essayais de réparer mon ordinateur quand il tombait en panne. S'il me résistait, je lui donnais un bon coup, ce qui suffisait parfois à le remettre en marche.

Pour le transport personnel, je ne vois pas l'utilité de posséder une voiture à haute performance. Qui a besoin d'un véhicule qui fait du 350 à l'heure? Où peut-on rouler à cette vitesse? De toute façon, même rouler à 200 sur une autoroute est ennuyeux. Je conduis assez vite sur les voies publiques, mais je n'exagère pas. Celui qui gagne sa vie en faisant de la vitesse a moins tendance à en faire quand ce n'est pas nécessaire.

J'adore la course et j'aime rouler sur les routes, mais, pour moi, la voiture est surtout un moyen d'atteindre une fin: je m'en sers pour gagner des courses ou pour me rendre où je veux. J'aime participer aux réglages du bolide pour qu'il roule encore plus vite, mais je déteste laver et cirer une voiture de tourisme. L'intérieur de ma voiture personnelle est généralement un vrai fouillis, et je me moque pas mal de la bosseler. Je prends plus grand soin de mon ordinateur.

Pour moi, une monoplace de Formule 1 n'est pas nécessairement un objet esthétique. Le style en est un peu trop outrancier. À cause de l'avant surélevé et des gros ailerons, elle ressemble de moins en moins à une voiture de course classique, qui elle possédait une certaine beauté fonctionnelle. J'apprécie l'excentricité stylistique de quelques vieilles voitures de tourisme, comme les américaines des années 1960, pleines de chrome et d'ailerons de toutes sortes. Parmi les voitures modernes, la Dodge Viper est intéressante de par son extravagance, et un véhicule comme le Mini Moke l'est en raison de son allure rudimentaire.

Certains entendent de la musique dans le grondement des moteurs. Moi, j'aime la musique, mais je déteste les bruits qui vous déchirent les tympans. Si vous l'entendez rarement, le bruit d'un moteur de Formule 1 vous impressionnera; vous pourrez imaginer tout ce qui s'y passe à l'intérieur. Comme je passe beaucoup de temps assis à quelques centimètres d'un moteur Renault à dix cylindres, le charme de la nouveauté est tombé.

Durant la saison, nous courons 16 fois et, entre les courses, nous consacrons beaucoup de temps aux essais. Si, en plus, je m'amusais à écouter des moteurs, à admirer des voitures, à les réparer et à les faire briller, je pense qu'il faudrait que je me fasse soigner. Il y a plus que cela dans la vie. La personne qui ne s'intéresse qu'aux voitures a vite fait d'ennuyer ses amis.

Malgré mon attitude envers l'automobile, je suis heureux que d'autres les aiment plus passionnément que moi. Si ce n'était pas le cas, il y aurait peut-être moins de fanatiques de la course.

Tour en voiture d'époque

Au circuit de Silverstone, nous avons fait le tour de la piste (avec Murray Walker, commentateur de BBC TV) en voiture d'époque. Mais mon intérêt pour les voitures anciennes est modéré.

Les réglages

Les excellents réglages qui ont rendu ma voiture si maniable ont joué un rôle important dans ma victoire au Grand Prix de Grande-Bretagne. L'objectif des réglages est de trouver le maniement de voiture avec lequel le pilote se sente le plus à l'aise, de façon qu'il s'y fie et qu'il ait l'assurance de pouvoir pousser

Ingénierie de compromis

Jock Clear et moi nous faisons confiance et communiquons bien. Le travail de réglage fait appel aux connaissances mécaniques et techniques, mais la dimension humaine est également importante.

son véhicule à ses limites à chaque minute.

Tandis que les réglages dépendent de nombreux facteurs techniques, l'apport humain, surtout celui du pilote, est aussi très important. Ce n'est pas un robot qui conduit; même si la conduite est différente pour chacun, elle repose toujours en grande partie sur l'intuition et les impressions du pilote.

Pour transmettre ses impressions et faire en sorte qu'elles se traduisent en modification des réglages, le pilote doit avoir une bonne relation avec son ingénieur de course et ses mécaniciens. Ceux-ci doivent comprendre la manière dont il conduit et ce qu'il veut de sa voiture. Quand il leur dit que la voiture se comporte de telle ou telle façon, cela ne correspond pas à une description qui se trouve dans un manuel ou dans un dictionnaire. La communication est un phénomène fondé sur quelque chose de très personnel – presque un code privé – qui n'est compris qu'après que les interlocuteurs ont travaillé ensemble depuis assez longtemps. Il faut du temps pour que l'ingénieur comprenne ce que le pilote veut dire et qu'il transforme ses commentaires en solutions pratiques à des problèmes de réglage.

Il faut aussi du temps au pilote pour apprendre à faire les bons commentaires. Il ne suffit pas de dire que la voiture se met de travers. Il y a peut-être dix raisons qui l'expliquent; il faut donc les comprendre et être en mesure d'expliquer la situation à l'ingénieur. Quand ce dernier connaît mieux le pilote, il interprète plus facilement ses propos, et l'expérience de cette collaboration accélère les réglages. Souvent, nous pouvons nous baser sur un réglage antérieur et partir de ce point-là.

La confiance mutuelle entre le pilote et l'ingénieur est essentielle. Quand vous essayez un nouveau réglage, l'ingénieur vous dit parfois: «Fais-moi confiance là-dessus.» Vous vous lancez sur la piste et donnez tout ce que vous pouvez. Si vous dérapez ou faites un tête-à-queue, au moins vous avez essayé; vous devez continuer d'avoir confiance en votre ingénieur et lui en vous.

Jock Clear m'a mis à l'épreuve dès le début de notre relation. Issu du monde de l'IndyCar, j'avais des idées bien arrêtées sur les réglages que je voulais – idées pas mal différentes de celles que Damon utilise pour l'autre Williams-Renault. À l'occasion d'un essai, Jock a à mon insu fait le réglage contraire à celui que je lui avais demandé. À mon retour de la piste, je lui ai dit que j'avais senti la différence et que la voiture ne se comportait pas comme elle aurait dû se comporter une fois réglée selon mes vœux. Après m'avoir mis ainsi à l'épreuve, Jock s'est fié encore davantage à mes commentaires.

À mon avis, l'ingénieur de course devrait se fier davantage aux commentaires du pilote, au lieu de se fonder essentiellement sur les données informatiques. Cela n'est pas facile en Formule 1, où les ordinateurs sont partout, contrairement à l'IndyCar, où ils servent surtout à confirmer les impressions du pilote. En Formule 1, on a tendance à croire que les données informatiques ont plus souvent raison que le pilote et à se baser sur celles-ci pour les questions de réglage. Je crois aux ordinateurs, mais je crois aussi aux impressions des pilotes quand il s'agit de régler une voiture de course.

Les chiffres et les graphiques fournis par l'ordinateur aident le pilote à voir où il «exploite» le mieux le tracé, à quel endroit il est plus lent ou plus rapide. Mais pour que tous ces chiffres soient utiles au pilote, ce dernier doit en comprendre le sens, en travaillant en étroite collaboration avec l'ingénieur. Ce n'est que lorsque le pilote peut établir un lien entre le comportement de la voiture et les données informatiques que l'ordinateur devient un outil valable pour les réglages.

C'est le moteur qui est le composant le plus difficile à «sentir»; il faut donc se fier davantage à l'informatique dans son cas. Ce sont les gens de Renault qui effectuent la plupart des réglages de nos moteurs. Du point de vue du pilote, c'est la souplesse du moteur qui compte: celui-ci doit être puissant dans l'éventail de conditions le plus large possible, sur chaque circuit. Cela signifie que le couple moteur – c'est-à-dire l'effort instantané développé par le moteur – est aussi important que la puissance en chevaux. Du fait que le moteur de Formule 1 tourne à très haute vitesse et que sa plage de puissance utile est limitée, il est essentiel d'utiliser les bons rapports de vitesse pour exploiter cette puissance au maximum. Le choix du rapport dépend surtout de la configuration du circuit, mais on finit toujours par en arriver à un compromis.

En fait, tout le travail de réglage est un compromis, vu le grand nombre de variables. La maniabilité de la voiture dépend de l'interaction de centaines de composants (il y a

environ 10 000 pièces dans une monoplace de Formule 1). Les réglages portent sur les ailerons avant et arrière, les écopes de freins, les entrées d'air des pontons, les ressorts, la suspension, le carrossage, le pincement, la pression des pneus, la hauteur de caisse, l'équilibre au freinage, les transferts de poids, l'angle du châssis, et ainsi de suite. Tous ces éléments sont interactifs et peuvent constamment varier en fonction de la charge de

Secrets des réglages

Une voiture de Formule 1 est composée d'environ 10 000 pièces; il est donc impossible de connaître tous les éléments qui ont quelque chose à voir avec les réglages. Toutefois, du point de vue du pilote, le travail de réglage consiste surtout à transformer des intuitions en certitudes mécaniques.

carburant, de l'état des pneus et de la piste, et des conditions climatiques, entre autres.

Pour moi, les réglages idéals mènent à une maniabilité neutre. S'il n'est pas possible d'arriver à un réglage d'ensemble neutre, alors je préfère que le véhicule ait tendance à survirer car, quand les roues arrière dérapent, le pilote peut toujours compenser. Le survirage augmente le risque de tête-à-queue et de sortie de piste en plus de rendre la conduite plus fatigante, mais il permet au pilote de repousser les limites de sa voiture. Je déteste le sous-virage: quand les roues avant tournent moins qu'on le veut, cela limite la marge de manœuvre du pilote dans les virages et celui-ci doit ralentir.

On peut parfois éliminer le sous-virage en augmentant l'angle de l'aileron avant – pour avancer le centre de pression – ou en modifiant le réglage de la barre stabilisatrice avant. Parfois, cette dernière est trop molle et la voiture devient paresseuse. Le sous-virage peut aussi être causé par les réglages de l'arrière de la voiture. La question des réglages est complexe; à certains moments, plus d'un remède peut résoudre le même problème.

Il est impossible de tout surveiller, mais il est utile de garder en mémoire les effets que certaines modifications ont eus dans le passé sur la maniabilité. Toutefois, du point de vue du pilote, le travail de réglage consiste surtout à transformer des intuitions en certitudes mécaniques.

Le Grand Prix de Grande-Bretagne — 14 juillet 1996

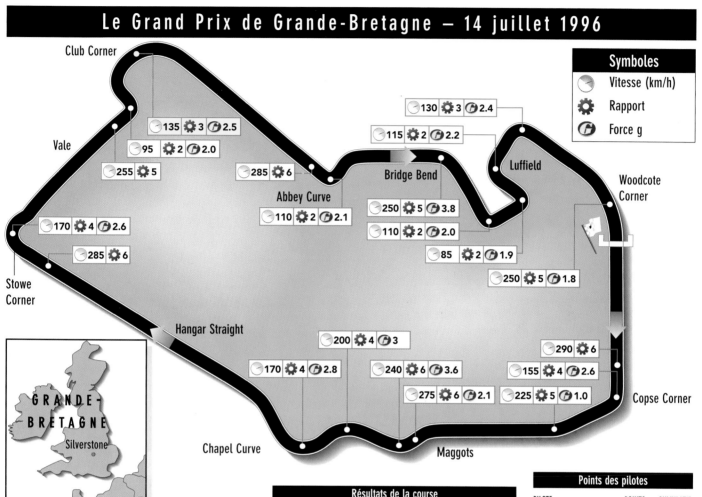

Club Corner

Vale

Stowe
Corner

Hangar Straight

Chapel Curve

Abbey Curve

Bridge Bend

Luffield

Woodcote
Corner

Maggots

Copse Corner

Symboles

- Vitesse (km/h)
- Rapport
- Force g

135 ⚙3 2.5
95 ⚙2 2.0
255 ⚙5
285 ⚙6
170 ⚙4 2.6
285 ⚙6
110 ⚙2 2.1
130 ⚙3 2.4
115 ⚙2 2.2
250 ⚙5 3.8
110 ⚙2 2.0
85 ⚙2 1.9
250 ⚙5 1.8
200 ⚙4 3
290 ⚙6
170 ⚙4 2.8
240 ⚙6 3.6
155 ⚙4 2.6
275 ⚙6 2.1
225 ⚙5 1.0

GRANDE-
BRETAGNE
Silverstone

Temps de qualification

RANG	PILOTE	ÉCURIE	TEMPS
1	HILL	Williams-Renault	1:26,875
2	VILLENEUVE	Williams-Renault	1:27,070
3	SCHUMACHER	Ferrari	1:27,707
4	HAKKINEN	McLaren-Mercedes	1:27,856
5	ALESI	Benetton-Renault	1:28,307
6	BARRICHELLO	Jordan-Peugeot	1:28,409
7	BERGER	Benetton-Renault	1:28,653
8	BRUNDLE	Jordan-Peugeot	1:28,946
9	COULTHARD	McLaren-Mercedes	1:28,966
10	IRVINE	Ferrari	1:29,186
11	FRENTZEN	Sauber-Ford	1:29,591
12	KATAYAMA	Tyrrell-Yamaha	1:29,913
13	HERBERT	Sauber-Ford	1:29,947
14	SALO	Tyrrell-Yamaha	1:29,949
15	VERSTAPPEN	Arrows-Hart	1:30,102
16	PANIS	Ligier-Mugen-Honda	1:30,167
17	DINIZ	Ligier-Mugen-Honda	1:31,076
18	FISICHELLA	Minardi-Ford	1:31,365
19	LAMY	Minardi-Ford	1:31,454
20	ROSSET	Arrows-Hart	1:30,529

Résultats de la course

RANG	PILOTE	TOURS	ÉCART	TEMPS
1	VILLENEUVE	61		1:33:00,874
2	BERGER	61	19,026	1:33:19,900
3	HAKKINEN	61	50,830	1:33:51,704
4	BARRICHELLO	61	1:06,716	1:34:07,590
5	COULTHARD	61	1:22,507	1:34:23,381
6	BRUNDLE	60	1 tour	
7	SALO	60	1 tour	
8	FRENTZEN	60	1 tour	
9	HERBERT	60	1 tour	
10	VERSTAPPEN	60	1 tour	
11	FISICHELLA	59	2 tours	

Points des constructeurs

CONSTRUCTEUR	POINTS	CUMULATIF
Williams-Renault	10	111
Benetton-Renault	6	41
Ferrari	0	35
McLaren-Mercedes	6	32
Jordan-Peugeot	4	13
Ligier-Mugen-Honda	0	12
Sauber-Ford	0	10
Tyrrell-Yamaha	0	5
Footwork-Hart	0	1

Points des pilotes

PILOTE	POINTS	CUMULATIF
HILL	0	63
VILLENEUVE	10	48
SCHUMACHER	0	26
ALESI	0	25
COULTHARD	2	16
BERGER	6	16
HAKKINEN	4	16
PANIS	0	11
BARRICHELLO	3	10
IRVINE	0	9
FRENTZEN	0	6
SALO	0	5
HERBERT	0	4
BRUNDLE	1	3
VERSTAPPEN	0	1
DINIZ	0	1

Meilleurs temps

VITESSE DU GAGNANT:

Jacques Villeneuve   199,576 km/h

TOUR LE PLUS RAPIDE:

Jacques Villeneuve   1:29,288
                      204,497 km/h

Le Grand Prix d'Allemagne

 Hockenheim, Allemagne

Malgré ma déception d'être arrivé troisième au Grand Prix d'Allemagne, j'étais satisfait d'avoir assez bien couru après avoir surmonté certaines difficultés. Autre élément positif, je continuais de monter sur le podium après chacune des courses que je terminais, ce qui contribuait à la large avance dont jouissait notre écurie dans le championnat des constructeurs. Ce qui était moins positif pour moi, sur le plan personnel, c'était que cette victoire de Damon accentuait son avance sur moi au classement des pilotes.

J'ai célébré ma victoire au Grand Prix de Grande-Bretagne en prenant une semaine de congé chez moi, à Monaco. C'étaient mes premières vraies vacances depuis le début de la portion européenne de la saison. Sandrine, en congé universitaire, a pu venir me rejoindre. Nous nous sommes détendus, même si j'avais beaucoup de travail à faire dans mon appartement et qu'il me fallait m'entraîner. C'était un retour apprécié à la vie normale, retour qui aide toujours un pilote à affronter les tensions du monde de la course.

La réalité de la course est vite revenue. J'ai été à une séance d'essais sur le circuit Paul-Ricard, en France, le lundi précédant le Grand Prix d'Allemagne. Ces essais – nous mettions à l'épreuve les réglages de faible déportance dont nous aurions besoin dans les longs droits de Hockenheim – n'ont pas été aussi productifs que nous l'avions espéré, mais nous restions optimistes. Cette course était cruciale dans ma lutte pour le championnat, car le circuit relativement simple serait plus facile à apprendre, comparé aux circuits compliqués de Hongrie et de Belgique, que je ne connaissais pas non plus.

Lutte incessante

Il m'a fallu trop de temps pour atteindre la cadence à Hockenheim. J'ai rapidement assimilé le circuit, plutôt simple, mais divers ennuis mécaniques m'ont nui.

J'aimais bien le tracé de Hockenheim, même si j'ai été étonné de constater que certaines portions sont très cahoteuses, et les vitesses qu'on pouvait y atteindre dans les droits évoquaient pour moi les superpistes («superspeedways») d'IndyCar. L'entraînement du vendredi a bien commencé, mais nous avons cessé de faire des progrès après quelques tours. La voiture – aux réactions trop abruptes – devenait difficile à maîtriser. Aucune des modifications apportées aux réglages ne semblait corriger son mystérieux problème de maniabilité.

« N'excluez pas Jacques. Moi, je considère qu'il demeure un concurrent sérieux pour le championnat. La lutte sera très intéressante durant les dernières courses. »

DAMON HILL
(pilote de l'écurie Williams)

Nous avons connu un autre revers le samedi matin: une panne de moteur a interrompu notre séance d'entraînement après seulement neuf tours. Quand ma voiture est tombée en panne sur le circuit, j'ai traversé la piste à pied, tentant de rejoindre le stand le plus rapidement possible. Les commissaires sportifs m'ont convoqué parce que j'avais enfreint le règlement en traversant la piste. L'imbroglio a été résolu quand je leur ai dit qu'un commissaire de piste m'avait autorisé à la traverser. Mais d'autres difficultés, plus graves, subsistaient. À part les problèmes chroniques de maniabilité, il me faudrait me qualifier sans avoir fait beaucoup de tours avec le réservoir à bas niveau, et nous devrions utiliser un moteur Renault d'une ancienne spécification, sur une piste où la puissance est capitale.

Vu ces désavantages, nous avons été satisfaits de notre sixième position sur la grille, obtenue après une heure de qualifications des plus excitantes. Vers la fin de la séance, j'ai fait un tour qui aurait pu être presque aussi rapide que celui qui a permis à Damon d'obtenir la pole position, n'eût été d'une erreur commise dans la dernière partie du tour. Si bien que j'avais moins d'une seconde de retard sur lui et que les voitures des trois premiers rangs de la grille se valaient. Je devais absolument exécuter un bon départ; saisir toutes les occasions de dépassement exigerait de la part de ma voiture comme de moi-même une performance de haut niveau.

Ma voiture ne donnait toutefois pas son rendement maximal. Rien de pire qu'une maniabilité déficiente pour miner l'assurance du pilote. Il est plus facile d'accepter la situation quand on connaît la nature du problème, car on peut parfois y adapter la conduite de la voiture. Mais à ce moment-là, nous n'arrivions pas à corriger la mystérieuse déficience. Nous ne pouvions qu'espérer de voir apparaître une solution avant la course, ce qui s'est heureusement produit. Durant les essais libres, nous avons découvert le pot aux roses: l'amortisseur avant droit était cassé depuis le début du week-end.

L'amortisseur remplacé, la voiture se maniait autrement; heureusement pour nous, nous avons eu l'occasion de la mettre à l'épreuve avant le départ de la course. Durant la parade des coureurs, une vive ondée s'est abattue sur le circuit (et sur les pilotes); les officiels ont accordé aux écuries une séance spéciale d'acclimatation à la piste humide. La pluie a cessé avant le début de la course, et durant la séance d'un quart d'heure j'ai réalisé le meilleur temps. C'était un soulagement pour nous, mais une contrariété aussi, car la voiture se trouvait dans l'état où elle aurait dû être le vendredi. La course consisterait surtout à rattraper le temps perdu; il était essentiel que je ne laisse pas les frustrations antérieures nuire à ma conduite.

Le départ s'est fait sans anicroche. Aux premiers tours, j'ai veillé à ne pas être trop hardi pour ne pas pousser exagérément la voiture. Nous n'étions pas encore sûrs d'avoir choisi les meilleurs réglages de course, et notre décision en faveur d'un seul arrêt au stand signifiait que j'entamais la course avec un poids de carburant supérieur à celui de mes concurrents, dont Damon.

Peu à peu, il m'est apparu que ma voiture pouvait en donner plus; cette constatation a renforcé mon assurance.

Tandis que Damon et les deux Benetton se battaient pour la tête du peloton, nous, les poursuivants, nous trouvions souvent en groupe serré. Ces petits combats étaient très stimulants. Le point fort de la course – pour

Des revers

J'ai été privé de précieux tours d'entraînement à cause d'une défaillance mécanique. Celle-ci a été vite corrigée, mais un mystérieux problème de maniabilité est apparu, et nous ne l'avons résolu qu'à la dernière minute.

Résultats satisfaisants

Une fois de retour sur la piste, j'ai constaté que la voiture était capable de rattraper le temps perdu. Le départ s'est fait sans anicroche. Une conduite acharnée m'a valu des résultats positifs, ce qui était gratifiant vu nos revers antérieurs.

moi, mais probablement pas pour les fans allemands – a été le moment où j'ai dépassé la Ferrari de Michael Schumacher.

Nous nous sommes tous deux arrêtés aux stands en même temps, et il se trouvait devant moi quand nous sommes revenus en piste. Je me suis dit que, pour le dépasser, je devais frapper vite, le prendre par surprise. Ma tactique a été efficace. Je ne crois pas que Michael s'attendait que je l'attaque à l'entrée de la première chicane, où il me devançait par deux longueurs de voiture. Je me suis placé à sa hauteur et j'ai freiné plus tard que lui, ce qui m'a permis de le dépasser. Dès lors, je n'avais plus qu'à éviter les ennuis et à persévérer jusqu'à la fin.

Il est difficile de dire si une meilleure place que la troisième aurait été ou non possible si nous avions découvert plus tôt l'amortisseur brisé. De toute façon, à quoi bon s'interroger sur le passé? Regardons plutôt devant nous. Au classement des coureurs, Damon jouissait désormais d'une avance de 21 points sur moi, tandis qu'il restait cinq courses à disputer. La lutte serait difficile, tout comme le Grand Prix d'Allemagne l'avait été.

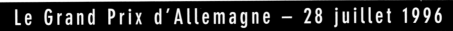

Le Grand Prix d'Allemagne — 28 juillet 1996

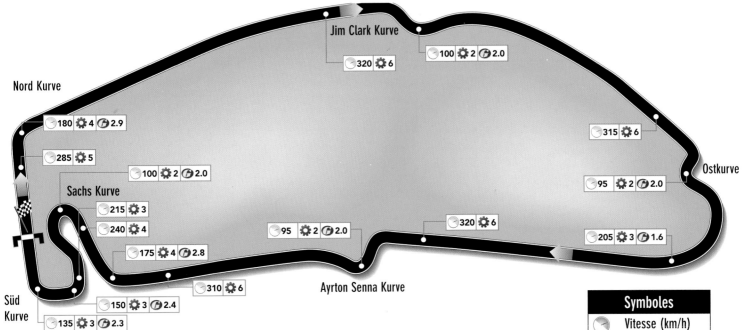

Jim Clark Kurve

320 ⚙ 6 100 ⚙ 2 🅖 2.0

Nord Kurve

180 ⚙ 4 🅖 2.9 315 ⚙ 6

285 ⚙ 5

100 ⚙ 2 🅖 2.0

Sachs Kurve

215 ⚙ 3 95 ⚙ 2 🅖 2.0

240 ⚙ 4

175 ⚙ 4 🅖 2.8 95 ⚙ 2 🅖 2.0 320 ⚙ 6

205 ⚙ 3 🅖 1.6

Ostkurve

310 ⚙ 6

Ayrton Senna Kurve

Süd Kurve

150 ⚙ 3 🅖 2.4

135 ⚙ 3 🅖 2.3

Symboles

🕐	Vitesse (km/h)
⚙	Rapport
🅖	Force g

ALLEMAGNE

Hockenheim

Temps de qualification

RANG	PILOTE	ÉCURIE	TEMPS
I	HILL	Williams-Renault	1:43,912
2	BERGER	Benetton-Renault	1:44,299
3	SCHUMACHER	Ferrari	1:44,477
4	HAKKINEN	McLaren-Mercedes	1:44,644
5	ALESI	Benetton-Renault	1:44,670
6	VILLENEUVE	Williams-Renault	1:44,842
7	COULTHARD	McLaren-Mercedes	1:44,951
8	IRVINE	Ferrari	1:45,389
9	BARRICHELLO	Jordan-Peugeot	1:45,452
10	BRUNDLE	Jordan-Peugeot	1:45,876
II	DINIZ	Ligier-Mugen-Honda	1:46,575
12	PANIS	Ligier-Mugen-Honda	1:46,746
13	FRENTZEN	Sauber-Ford	1:46,899
14	HERBERT	Sauber-Ford	1:47,711
15	SALO	Tyrrell-Yamaha	1:48,139
16	KATAYAMA	Tyrrell-Yamaha	1:48,381
17	VERSTAPPEN	Arrows-Hart	1:48,512
18	LAMY	Minardi-Ford	1:49,461
19	ROSSET	Arrows-Hart	1:49,551

Résultats de la course

RANG	PILOTE	TOURS	ÉCART	TEMPS
I	HILL	45		1:21:43,417
2	ALESI	45	11,452	1:21:54,869
3	VILLENEUVE	45	33,926	1:22:17,343
4	SCHUMACHER	45	41,517	1:22:24,934
5	COULTHARD	45	42,196	1:22:25,613
6	BARRICHELLO	45	1:42,099	1:23:25,516
7	PANIS	45	1:43,912	1:23:27,329
8	FRENTZEN	44	I tour	
9	SALO	44	I tour	
10	BRUNDLE	44	I tour	
II	ROSSET	44	I tour	
12	LAMY	43	2 tours	

Points des constructeurs

CONSTRUCTEUR	POINTS	CUMULATIF
Williams-Renault	14	125
Benetton-Renault	6	47
Ferrari	3	38
McLaren-Mercedes	2	34
Jordan-Peugeot	I	14
Ligier-Mugen-Honda	0	12
Sauber-Ford	0	10
Tyrrell-Yamaha	0	5
Footwork-Hart	0	I

Points des pilotes

PILOTE	POINTS	CUMULATIF
HILL	10	73
VILLENEUVE	4	52
ALESI	6	31
SCHUMACHER	3	29
COULTHARD	2	18
BERGER	0	16
HAKKINEN	0	16
PANIS	0	II
BARRICHELLO	I	II
IRVINE	0	9
FRENTZEN	0	6
SALO	0	5
HERBERT	0	4
BRUNDLE	0	3
VERSTAPPEN	0	I
DINIZ	0	I

Meilleurs temps

VITESSE DU GAGNANT:

Damon Hill   225,369 km/h

TOUR LE PLUS RAPIDE:

Damon Hill   1:46,504

230,280 km/h

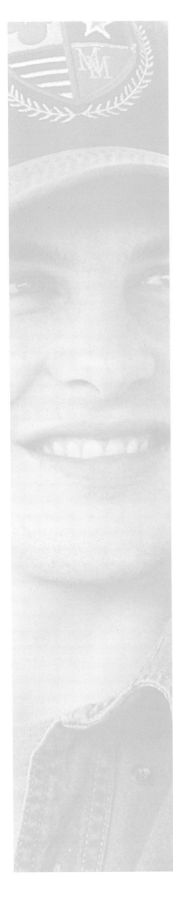

Parler en public

Compte tenu de tous les engagements envers les médias qu'il faut respecter un week-end de Grand Prix, il me semble parfois que je passe plus de temps à parler en public qu'à conduire. En plus de répondre aux journalistes affectés à la Formule 1, nous participons à des rencontres organisées par nos commanditaires au cours desquelles nous devons parler à leurs invités. La plupart des conférences de presse et des entrevues sont planifiées, mais il faut aussi compter avec les entrevues impromptues.

Dès que je sors de ma voiture après une séance d'essais, les journalistes m'entourent et veulent que je leur relate en détail mes progrès. Ensuite, il y a parfois la demi-heure d'entrevues planifiées et, souvent, une conférence de presse organisée par l'écurie. Le vendredi, le pilote peut être sélectionné pour participer à la conférence de presse des «Friday Five». Le samedi, conférence de presse des trois pilotes les plus rapides des essais; le dimanche, conférence de presse des trois premiers du Grand Prix. Et conférence de presse pour celui qui remporte la victoire...

La conférence de presse du vendredi peut être intéressante. Les participants, au nombre de cinq, peuvent être des pilotes ou autres membres de l'écurie, ou des personnalités du monde de la Formule 1. Par conséquent, les questions et les sujets abordés sont plus variés. J'ai assisté à la plupart des conférences de pole position du samedi après-midi. Elles sont généralement intéressantes, bien que certains journalistes n'y posent pas toutes leurs questions. Ils attendent plutôt la fin de la conférence de presse et essaient ensuite de vous attraper seul, dans l'espoir d'obtenir un scoop.

Vu que je parle le français, l'anglais et l'italien, je dois accorder plus d'entrevues en diverses langues que la plupart des autres pilotes. La moitié des questions que me posent les Italiens portent sur Ferrari, ce que je trouve drôle. Même si c'est Williams qui m'intéresse, je leur donne mon opinion. Les reporters britanniques sont plutôt polis; tandis que les journalistes français sont plus agressifs, sans toutefois que cela constitue un problème.

Les pilotes finissent par bien connaître beaucoup de journalistes et savent à quoi s'attendre. La plupart des représentants des médias sont des professionnels responsables, mais il y a toujours quelques brebis galeuses à la recherche du sensationnalisme. D'autres encore ne vous ont jamais adressé la parole, mais écrivent quand même toutes sortes d'imbécillités à votre sujet. Quant à moi, je peux dire que les médias ne m'ont jamais vraiment causé d'ennuis.

Les médias sont beaucoup plus présents dans le monde de la Formule 1 que dans celui de l'IndyCar, mais ils ont tendance à rechercher les gros sujets dans les premières écuries. Quand il n'y a pas beaucoup de compétition sur la piste, celle que les journalistes se livrent entre eux pour dénicher des sujets est d'autant plus rude.

Parfois, les questions sont un peu trop personnelles, ce qui est plutôt irritant. Quand on travaille dans une discipline sportive qui fait la une des journaux aussi souvent que la Formule 1, la seule chose qui appartienne au pilote, c'est sa vie privée. Pour moi, elle est infiniment précieuse. Mais cela n'empêche pas certains journalistes de vous poser des questions indiscrètes.

Questions et réponses

À ce stade de la saison, j'ai déjà été interviewé des douzaines de fois. Voici certaines des questions qui reviennent le plus souvent.

Pourquoi parlez-vous si souvent à la première personne du pluriel quand il s'agit de course?

«Je considère la course automobile comme un sport d'équipe; il serait prétentieux de ma part d'utiliser le "je" trop souvent. Nous sommes plus de 230 à faire partie de l'écurie Williams; "nous" y sommes engagés pour le meilleur comme pour le pire. En faisant souvent allusion au travail d'équipe, j'évite de m'attribuer toutes les réussites et de blâmer l'équipe pour tous les échecs. Cependant, quand je commets une erreur, je n'hésite pas à parler à la première personne.»

Quels sont vos points forts en tant que coureur et en tant que personne?

«Je déteste ce genre de question, parce que je répugne à parler de moi-même. Mais comme vous insistez, je vais vous répondre. Comme coureur, mon point fort est sans doute d'être détendu, ce qui est important. Il faut garder la tête froide, savoir quand il faut ou quand il ne faut pas oser. Dans ma vie personnelle, je suppose qu'être heureux de ce que j'ai et de ce que je suis est un point fort.

J'ai probablement beaucoup de faiblesses. Par exemple, je suis intransigeant. Je n'aime pas attendre. J'ai si peu de temps à moi en dehors du travail, que je ne supporte pas qu'on me le fasse perdre. Dans mon travail, je suis habitué à une certaine rigueur, même si je ne suis pas très ordonné; je veux donc que les choses soient organisées.»

Vêtements peu conventionnels

Certains journalistes sont surpris par ma tenue vestimentaire; mais leur surprise est une surprise pour moi. Dans ma voiture, je dois porter une tenue de pilote. Dans la vie de tous les jours, je porte ce que je veux.

Contrairement à beaucoup de pilotes, vous ne passez pas beaucoup de temps dans le paddock. Êtes-vous un solitaire?

«Je n'aime pas rester dans le paddock sans raison. J'y suis pour travailler; alors, je travaille. Si je n'ai rien à y faire, je m'en vais. Le circuit, c'est mon bureau à moi. Personne ne reste au bureau inutilement après sa journée de travail.»

Pour un pilote de Formule 1, vous avez des hobbies inhabituels – jouer de la musique, monter des ordinateurs, faire du patin à roues alignées – et vous portez des vêtements très très détendus. Vous sentez-vous différent des autres pilotes?

«Je ne crois pas qu'il y ait une image qui soit imposée au coureur automobile. Même si c'était le cas, je ne voudrais pas me sentir obligé de m'y conformer. Mon job, c'est de piloter une Formule 1; je le fais sans changer de personnalité. Tout comme on attend de l'homme d'affaires qu'il porte le complet et

la cravate, on attend du pilote de Formule 1 qu'il porte la tenue du coureur. Hors du lieu de travail, l'homme d'affaires comme le pilote porte ce qu'il veut. Si certains sont surpris par ma tenue vestimentaire, leur surprise est une surprise pour moi. Je n'essaie pas consciemment d'être différent des autres; je me contente d'être moi-même.»

Qu'est-ce qui vous a le plus impressionné dans le monde de la Formule 1?

«Difficile à dire. L'IndyCar n'est pas une catégorie inférieure aux autres, vous savez. J'étais habitué aux voitures, à la vitesse et aux admirateurs. Bien entendu, le milieu de la Formule 1 est plus international. C'est un sport populaire partout; les pilotes sont donc davantage connus à l'échelle mondiale. Ce que j'aime surtout, c'est la course elle-même, pas tellement son côté *glamour*, dont je saurais me passer.»

Damon et moi

Les journalistes aiment m'interroger sur la relation que Damon et moi entretenons. Ma réponse: nous nous entendons merveilleusement bien, compte tenu du fait qu'en plus d'être coéquipiers, nous sommes rivaux.

Vous attendiez-vous à une telle réussite à votre arrivée en Formule 1?

«Jusqu'à présent, les résultats que j'ai obtenus correspondent à mes attentes. J'ai su dès le départ que j'avais fait le bon choix en m'associant à la grande écurie Williams, qui dispose d'une bonne voiture et d'un bon moteur. Je savais aussi que j'arrivais en Formule 1 durant une saison où bon nombre de grands pilotes changeaient d'écurie. Ce n'est pas une situation courante. J'étais conscient qu'il leur faudrait un certain temps pour s'adapter à leurs nouvelles équipes; les dés étaient donc pipés en ma faveur. Certains se demandaient si j'étais à la hauteur. Moi, j'étais sûr de mes capacités. Après tout, si l'on ne croit pas en soi, qui le fera?»

Quelle est la plus grande difficulté que vous ayez eu à surmonter jusqu'à présent cette saison?

«La limitation du nombre de tours que l'on peut faire durant l'entraînement. Ce serait bien de pouvoir faire une dizaine de tours rien que pour se familiariser avec le circuit. À cause de la limite de 30 tours par séance, c'est là un luxe que je ne peux me permettre. Après trois tours, je suis censé avoir déjà quasiment atteint les limites de ma voiture, afin de travailler sur ses réglages. Pour un nouveau venu, cette restriction représente un handicap majeur. Bien entendu, je parle des circuits où je n'ai pas pu faire d'essais avant la saison.»

Qu'est-ce qui vous donne le plus de satisfaction personnelle: un tour de qualification parfait ou une course couronnée de succès?

«Cela dépend. Faire un tour de qualification parfait est extraordinaire; je n'en ai pas encore fait cette année. Mais lutter farouchement dans une course, c'est extraordinaire aussi. Si j'ai mené toute la course et que je la gagne avec une avance de 20 secondes, ayant conduit mon véhicule en toute tranquillité, cela peut être ennuyeux. Ce qui est agréable, c'est de remporter la victoire après une dure bataille – comme celle que j'ai livrée à Michael Schumacher au Nürburgring. Ça c'était excitant. Gagner par une large marge peut flatter l'ego, mais cela ne m'intéresse pas. Je trouverais très satisfaisante une course dans laquelle je serais sixième et où, au bout de quelques tours, je ferais quelques belles manœuvres et dépasserais les autres.»

Votre expérience en IndyCar vous a-t-elle été particulièrement utile?

«Mon expérience est différente de celle de la plupart des coureurs qui se sont formés en Europe. Mon approche n'est pas la même que la leur. Par exemple, Damon et moi demandons des réglages tout à fait différents pour ce qui est des ressorts, des amortisseurs, de la hauteur de caisse, des barres stabilisatrices, et ainsi de suite. Il serait impossible de transposer les réglages d'une voiture à l'autre; cela ne rend pas la tâche facile à l'équipe.»

Travaillez-vous en étroite collaboration avec votre coéquipier?

«À part quand il s'agit d'échanger des données, Damon et moi travaillons rarement ensemble; c'est une situation à laquelle je suis habitué. Même en IndyCar, dans les écuries qui ont deux pilotes, ceux-ci travaillent séparément. Dans nos comptes rendus oraux, Damon et moi partageons peu d'information. C'est normal. Pourquoi me révélerait-il ses secrets? Je ne lui révèle pas les miens, et, de toute façon, j'ai plus à apprendre de lui que l'inverse. Nous nous entendons bien en tant que coéquipiers, mais nous sommes tous les deux payés pour gagner et nous nous y prenons différemment.»

Votre objectif est-il d'aider Damon à remporter le championnat ou de le remporter vous-même?

«Je cours pour moi-même et pour mon écurie. Ce qui compte pour l'équipe, c'est de gagner, quel que soit le pilote, et ce qui est le plus important pour elle, c'est de remporter le championnat des constructeurs. Cependant, le coureur doit penser à lui-même. Dans certaines écuries, il y a un premier pilote et un deuxième. Ce n'est pas le cas dans la nôtre. Frank Williams n'attend pas de moi que j'aide Damon, mais que je gagne des courses et, si possible, le championnat du monde. 🏁

Épreuve orale

Répondre à des questions difficiles fait partie de mon métier, et je dois y répondre en gardant le sourire. Avec toutes les entrevues et conférences de presse qu'il nous faut donner durant les week-ends de Grand Prix, j'ai parfois l'impression de passer autant de temps à parler qu'à conduire.

Le Grand Prix de Hongrie

Hungaroring, Hongrie

Monter sur le podium pour une troisième fois dans la saison a été pour moi une grande joie, en partie parce que ma première position et la deuxième de Damon assuraient le championnat des constructeurs à notre écurie. De plus, ma victoire était capitale dans notre lutte pour le championnat du monde. J'étais particulièrement satisfait de battre Damon au circuit Hungaroring, que je ne connaissais pas et que je ne m'attendais pas à aimer.

Bien entendu, impossible de ne pas aimer le circuit sur lequel on gagne, et il m'a été agréable de piloter sur le Hungaroring, du moins quand j'y étais seul. Cependant, ce circuit est moins intéressant pour la course, car il ne s'y trouve quasiment pas d'endroits où l'on peut dépasser. Bien sûr, le pilote n'y a pas une minute de répit: le circuit ne comporte pas vraiment de droits, les virages sont donc nombreux – certains sont étonnamment rapides et se présentent en chaîne –, et la surface de la piste est pleine de pièges, à cause du sable et de la poussière qui s'accumulent près de la trajectoire de course. Même si ces défis ajoutent du piquant à la course, la configuration serrée du circuit cause beaucoup de congestion. Il y est donc essentiel d'obtenir une bonne position sur la grille et de réussir son départ.

J'aime les circuits larges aux virages rapides, avec lesquels je me familiarise plus facilement. J'ai donc été agréablement surpris de me trouver immédiatement compétitif sur le Hungaroring. Le processus d'apprentissage a sans doute été facilité par la surface glissante de la piste qui, au début de l'entraînement, a ralenti tous les pilotes. Tout ce sable! On se serait cru à la plage. À mesure que le passage des voitures chassait le sable, l'adhérence de la piste s'améliorait. Mais l'évolution des conditions rendait les réglages difficiles: on avait l'impression de viser une cible mouvante. Pourtant, j'ai toujours tenu le rythme grâce, en grande partie, à notre nouvelle approche des réglages. Pour la première fois de la saison, nous avons utilisé certains réglages de mon cru que je voulais essayer depuis longtemps. Avant d'arriver en Hongrie, nous les avions mis à l'épreuve sur le circuit Nogaro, en France, qui requiert comme le Hungaroring des réglages de haute déportance. Les modifications apportées se sont révélées efficaces au cours des essais, et plus encore en Hongrie.

Tête à tête

J'ai mis du temps à persuader notre directeur technique, Patrick Head, de me laisser expérimenter certaines idées de réglage. L'expérience a été concluante; l'amélioration de la maniabilité ainsi obtenue m'a permis de conquérir le Hungaroring.

Durant les qualifications, Michael Schumacher, Damon et moi nous sommes livré une belle lutte. Nous réussissions l'un après l'autre les tours les plus rapides. Mon meilleur tour a été ruiné quand ma voiture s'est mise de travers – je l'avais trop poussée –, et que j'ai perdu environ une demi-seconde. À la fin des essais, guère plus d'un dixième de seconde ne nous séparait, Michael étant le premier et Damon, le deuxième. Cela signifiait que je serais placé immédiatement derrière Michael, tandis que la position latérale de Damon – hors de la trajectoire de course, dans le sable et la poussière – présentait pour ce dernier un léger désavantage au premier tour. Damon a connu un départ médiocre et il s'est trouvé derrière quelques voitures moins rapides que la sienne; sa malchance s'inscrivait parfaitement dans mon plan.

J'étais déterminé à lutter farouchement durant cette course, et la Williams-Renault était en mesure de répondre à mon humeur. Elle était de toute évidence supérieure à la Ferrari de Michael qui, s'efforçant de rester en tête, la faisait déraper un peu partout sur la piste. J'ai pu le dépasser quand il s'est arrêté pour la première fois au stand. La décision que nous avions prise de faire trois arrêts m'a permis de conduire une voiture plus légère et de me ménager rapidement une avance sur Michael. Mes deux premiers arrêts au stand ont été parfaits. Au troisième, je menais seul le peloton, fort d'une avance de plus de 20 secondes.

Malheureusement, j'ai perdu la moitié de cette avance quand les mécaniciens ont dû remplacer une roue arrière durant mon dernier arrêt au stand. C'était irritant, certes, mais cela a ajouté du piquant à la course car Damon pouvait ainsi se rapprocher, et nous pouvions dès lors nous livrer une bataille excitante. Après la défaillance mécanique de la Ferrari de Michael, Damon a saisi la deuxième position et a commencé à pousser sa voiture jusqu'à sa limite. J'avais besoin d'être secoué un peu (les spectateurs aussi peut-être) car, avant l'entrée en scène de Damon, la course était en train de devenir ennuyeuse. Le défi qu'il me lançait a fait monter en moi l'adrénaline et a dissipé l'ennui qui pouvait régner dans le cockpit.

Les 15 derniers tours ont été une véritable épreuve pour nous. Nos voitures étaient presque identiques, celle de Damon peut-être un peu plus rapide que la mienne, et nous les avions tous deux poussées jusqu'à leur limite. Il me fallait éviter toute erreur que la tension pouvait me faire commettre, surtout quand je doublais des voitures moins rapides, et la configuration du circuit ferait le reste: Damon ne pourrait me dépasser. Et c'est ainsi que s'est terminée la course, moi devant, lui derrière; quelques mètres seulement séparaient nos voitures au moment où nous avons franchi la ligne d'arrivée.

La course dans la chaleur, éreintante, avait mis notre endurance à rude épreuve. J'ai été soulagé de voir le drapeau à damiers enfin déployé, et ravi de voir notre équipe en liesse. Cette course – comme toutes les autres de la saison, en fait – avait exigé un effort collectif formidable, non seulement de la part des membres de l'écurie qui travaillent au circuit, mais aussi de celle de toute l'équipe d'essais et de tout l'atelier. Dans notre cœur, nous sommes tous pilotes et nous courons pour gagner.

Comme nous avions obtenu le titre pour notre écurie, je pouvais désormais concentrer toute mon attention sur le championnat du monde. Damon avait encore sur moi une avance de 17 points. Mais le fait d'avoir obtenu le maximum de points sur un circuit qui m'était peu familier m'a rendu encore plus optimiste pour la compétition à venir. Le circuit de Spa, en Belgique, serait lui aussi nouveau pour moi. Il passe pour être l'un des meilleurs circuits au monde. J'avais hâte d'y courir. Vu que les trois dernières courses de la saison se disputeraient sur des circuits que je connaissais assez bien, si j'obtenais de bons résultats en Belgique, le championnat du monde restait possible pour moi.

Un circuit formidable

Je pensais que ce circuit serré et sinueux ne me plairait pas beaucoup, mais le fait d'atteindre rapidement la cadence a décuplé mon plaisir. Une fois le week-end fini, je trouvais que le Hungaroring était un circuit formidable.

Y a d'la joie!

Avec ma victoire, mon écurie était assurée de remporter le championnat des constructeurs. Durant les quatre courses qui restaient, j'avais dès lors la liberté de concentrer toute mon attention sur la lutte que je livrais à Damon pour le championnat du monde.

Le Grand Prix de Hongrie – 11 août 1996

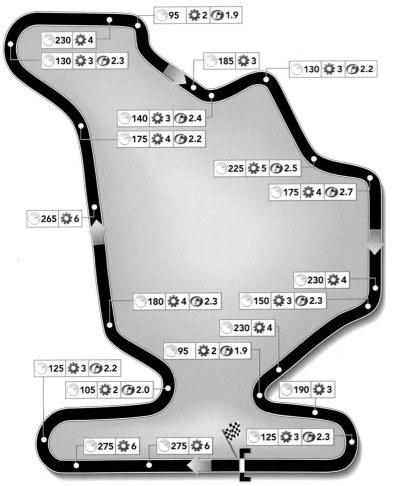

Circuit data points:
- 95 ⚙2 Ⓖ1.9
- 230 ⚙4
- 130 ⚙3 Ⓖ2.3
- 185 ⚙3
- 130 ⚙3 Ⓖ2.2
- 140 ⚙3 Ⓖ2.4
- 175 ⚙4 Ⓖ2.2
- 225 ⚙5 Ⓖ2.5
- 175 ⚙4 Ⓖ2.7
- 265 ⚙6
- 230 ⚙4
- 180 ⚙4 Ⓖ2.3
- 150 ⚙3 Ⓖ2.3
- 230 ⚙4
- 95 ⚙2 Ⓖ1.9
- 125 ⚙3 Ⓖ2.2
- 105 ⚙2 Ⓖ2.0
- 190 ⚙3
- 275 ⚙6
- 275 ⚙6
- 125 ⚙3 Ⓖ2.3

HONGRIE
Hungaroring ◦

Temps de qualification

RANG	PILOTE	ÉCURIE	TEMPS
1	SCHUMACHER	Ferrari	1:17,129
2	HILL	Williams-Renault	1:17,182
3	VILLENEUVE	Williams-Renault	1:17,259
4	IRVINE	Ferrari	1:18,617
5	ALESI	Benetton-Renault	1:18,754
6	BERGER	Benetton-Renault	1:18,794
7	HAKKINEN	McLaren-Mercedes	1:19,116
8	HERBERT	Sauber-Ford	1:19,292
9	COULTHARD	McLaren-Mercedes	1:19,384
10	FRENTZEN	Sauber-Ford	1:19,463
11	PANIS	Ligier-Mugen-Honda	1:19,538
12	BRUNDLE	Jordan-Peugeot	1:19,828
13	BARRICHELLO	Jordan-Peugeot	1:19,966
14	KATAYAMA	Tyrrell-Yamaha	1:20,499
15	DINIZ	Ligier-Mugen-Honda	1:20,665
16	SALO	Tyrrell-Yamaha	1:20,678
17	VERSTAPPEN	Arrows-Hart	1:20,781
18	ROSSET	Arrows-Hart	1:21,590
19	LAMY	Minardi-Ford	1:21,713
20	LAVAGGI	Minardi-Ford	1:22,468

Points des pilotes

PILOTE	POINTS	CUMULATIF
HILL	6	79
VILLENEUVE	10	62
ALESI	4	35
SCHUMACHER	0	29
HAKKINEN	3	19
COULTHARD	0	18
BERGER	0	16
PANIS	2	13
BARRICHELLO	1	12
IRVINE	0	9
FRENTZEN	0	6
SALO	0	5
HERBERT	0	4
BRUNDLE	0	3
VERSTAPPEN	0	1
DINIZ	0	1

Symboles

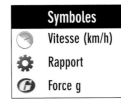

🕐 Vitesse (km/h)
⚙ Rapport
Ⓖ Force g

Résultats de la course

RANG	PILOTE	TOURS	ÉCART	TEMPS
1	VILLENEUVE	77		1:46:21,134
2	HILL	77	0,771	1:46:21,905
3	ALESI	77	1:24,212	1:47:45,346
4	HAKKINEN	76	1 tour	
5	PANIS	76	1 tour	
6	BARRICHELLO	75	2 tours	
7	KATAYAMA	74	3 tours	
8	ROSSET	74	3 tours	

Points des constructeurs

CONSTRUCTEUR	POINTS	CUMULATIF
Williams-Renault	16	141
Benetton-Renault	4	51
Ferrari	0	38
McLaren-Mercedes	3	37
Jordan-Peugeot	1	15
Ligier-Mugen-Honda	2	14
Sauber-Ford	0	10
Tyrrell-Yamaha	0	5
Arrows-Hart	0	1

Meilleurs temps

VITESSE DU GAGNANT:
Jacques Villeneuve   172,316 km/h

TOUR LE PLUS RAPIDE:
Damon Hill   1:20,093
178,293 km/h

Au travail dans mon bureau

Pour faire un travail aussi difficile que celui qui est exigé sur le circuit Hungaroring, où chaque tour – et il y en a 77! – demande un effort de tous les instants, tout doit être parfait dans le «bureau» du pilote: le cockpit. Tout comme l'employé a besoin d'un bureau bien organisé pour être efficace, le pilote doit avoir tous ses outils à portée de la main et il doit pouvoir s'asseoir confortablement devant son «bureau» pendant de longues périodes.

En fait, le «bureau» du pilote ressemble à l'étroit cockpit d'un avion de chasse, bourré d'instruments et de commandes de toutes sortes. Le cockpit de ma Williams FW18 m'est si familier que je m'y sens chez moi. Même s'il est difficile d'y accéder, une fois que j'y suis installé je le trouve confortable.

Une fois assis dans le cockpit, le pilote se fait aider pour boucler son harnais; il ajuste ensuite lui-même les sangles des épaules. Le harnais doit être parfaitement ajusté de manière que le pilote soit fermement ancré dans son baquet. Plus on est ballotté dans le cockpit, moins on sent la piste et la course, et plus on se fatigue vite. Il faut faire un avec la voiture, afin de tout ressentir dans son corps et de pouvoir traduire ses sensations en réactions de conduite.

Le baquet est parfaitement adapté à la forme du corps du pilote parce qu'il est moulé à ses dimensions exactes. Toutefois, ce siège de carbone est peu confortable, car il est très dur. La mince peau en cuir qui le recouvre n'empêche pas le pilote de sentir tous les chocs. Le dégagement du cockpit pour les coudes est faible. En revanche, celui des pieds est ample, ce qui devient un inconvénient quand la force g est élevée. Le pilote doit donc

Maison, bureau, laboratoire

Le cockpit de ma Williams FW18 m'est si familier que je m'y sens chez moi. C'est mon «bureau», mais c'est aussi un laboratoire où j'expérimente diverses théories sur la course.

apprendre à retenir les jambes et les pieds pour les empêcher de heurter les côtés.

Il est essentiel que les rétroviseurs soient bien ajustés pour que le pilote ait une bonne vision latérale et arrière. La vision du pilote doit être la plus large possible. C'est pourquoi, même s'il ne regarde pas dans les rétroviseurs, ceux-ci sont placés de telle manière qu'il perçoit immédiatement tout ce qui y apparaît grâce à sa vision périphérique.

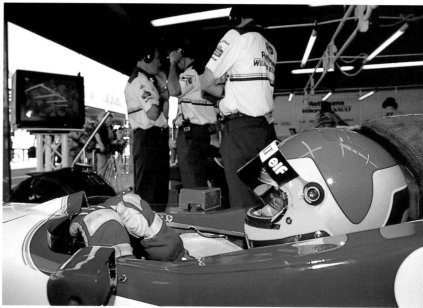

Pour améliorer davantage la vision, la partie supérieure du volant est plate, afin que le pilote puisse regarder par-dessus. Personnellement, je préfère un volant rond, plus commode quand il faut par exemple maîtriser un tête-à-queue. Sur le volant, je garde les mains à la position de «2 h 45». D'un braquage extrême à l'autre, le volant décrit un angle de 180° seulement. Il faut donc à peine tourner le volant pour changer de direction.

Deux heures quarante-cinq

Le volant est plat sur le dessus, pour que le pilote voie mieux devant lui. Quand je conduis, je garde les mains à la position de «2 h 45». Un léger mouvement du volant permet de changer de direction.

Derrière le volant se trouve le tableau de bord, bourré d'instruments qui renseignent le pilote sur le fonctionnement de la voiture et aussi de commandes qui lui permettent d'effectuer certains réglages. L'affichage à cristaux liquides est muni d'un sélecteur de mode qui permet de choisir le type d'information qui sera affiché sur les trois écrans: temps au tour, vitesse instantanée, temps partiel, et ainsi de suite.

À droite des écrans, quatre voyants sont programmés pour avertir le pilote d'une pression ou température anormale de l'eau et de l'huile. À gauche des écrans, se trouve la diode de régime moteur – quatre voyants qui passent du vert au jaune, puis au rouge quand le moteur atteint son régime maximum – qui signale au pilote le moment où il doit changer de vitesse. Mais quand on est habitué au son du moteur, on sait quand ce moment arrive. Au moment où on change de vitesse, on compte mentalement. Si l'on oublie où on en est, il suffit de regarder l'indicateur de vitesse engagée.

Derrière le volant se trouvent deux manettes. Sur ma voiture, la manette de gauche sert à l'embrayage, tandis que sur celle de Damon, l'embrayage est commandé par une pédale. La manette de droite sert à la descente ou à la montée des rapports de vitesse, selon que je tire ou que je pousse dessus. Dans mes voitures Indy, j'avais aussi le changement de vitesse séquentiel, même s'il se faisait au moyen d'un levier de vitesse standard. Je préfère le changement séquentiel parce que je m'y suis habitué jeune sur les motos que j'ai conduites, et parce qu'il est bon de le connaître quand on s'amuse à des jeux vidéo!

Quatre boutons de différentes couleurs – pour que le pilote choisisse facilement le bon dans le feu de l'action – sont installés sur le volant. Le pilote poussera sur le vert lorsqu'il voudra parler par radio avec le stand. La communication du stand au pilote reste ouverte en permanence. Le bouton rouge, qui coupe le moteur, ne servira qu'en cas d'urgence, par exemple si le papillon des gaz restait collé. Le bouton jaune met au point mort la boîte de vitesses, quand la première ou la deuxième vitesse est engagée, pour éviter que le moteur cale au stand.

Le bouton blanc a deux fonctions qui dépendent de la vitesse engagée. C'est un limiteur de vitesse lorsque la voiture est en deuxième dans la voie des stands. En Espagne, j'ai oublié de pousser sur ce bouton, ce qui m'a valu une forte amende pour vitesse excessive. Lorsque la vitesse engagée est plus élevée, ce bouton commande la pompe à boisson. Le pilote qui a soif place dans sa bouche le tube qui se trouve à l'intérieur de son casque et il appuie sur le bouton blanc pour boire. Moi, je bois rarement pendant que je cours.

Je n'ai jamais utilisé l'interrupteur déclenchant l'extincteur de la voiture situé à droite du tableau, en haut, mais par deux fois cette saison il est quand même entré en fonction. Au cours d'une séance d'entraînement en France, le câble de l'extincteur a été accidentellement accroché durant le plein. Il y avait de la poudre partout, sur mon visage notamment, et nous avons dû procéder à un nettoyage majeur. Heureusement, je n'ai jamais eu à faire l'expérience d'un feu dans le cockpit. Je me sens rassuré de pouvoir compter sur l'extincteur.

Il y a d'autres commandes et interrupteurs que j'utilise rarement, dont l'interrupteur de mise en service de la boîte de vitesses et la molette de réglage du programme électronique qui la gère; quant à la molette de réglage de l'accélérateur électronique, elle est verrouillée. Je me suis déjà servi de la molette de réglage du mélange air-essence pour économiser le

Centre de mission

Le «bureau» du pilote ressemble au cockpit d'un avion de chasse ou d'un vaisseau spatial. Tous les instruments et commandes permettent au pilote de rester dans la course.

© Russell Lewis

Réglage de la richesse du mélange air-essence

Réglage de la répartition du freinage entre l'avant et l'arrière

Interrupteur radio pour le contact avec le stand

Limiteur de vitesse dans la voie des stands/interrupteur de la pompe à boisson

Interrupteur mettant au point mort la boîte de vitesses, de la première ou seconde vitesse

Interrupteur de coupure d'urgence du moteur

Commutateur pour l'affichage des diverses informations

carburant. Je me sers souvent de la molette de répartition du freinage, située à gauche.

Grâce à cette molette, on peut accentuer le freinage à l'avant ou à l'arrière de la voiture. Le pilote recourt souvent à ce réglage, car la capacité de freinage varie à mesure que les plaquettes s'usent. Le plus petit réglage peut avoir un effet majeur, similaire à celui que les cyclistes obtiennent en serrant plus ou moins fort, sur le guidon, le levier de freinage avant ou arrière.

Ma voiture ne comporte que deux pédales: frein et accélérateur. Je place toujours mes pieds comme s'ils étaient le prolongement de ces pédales. Comme j'ai l'embrayage au volant, au moins je ne risque pas de confondre la pédale d'embrayage et la pédale de frein. Je réserve le pied gauche au freinage; je le laisse toujours reposer sur la pédale, sans appliquer de pression. L'accélérateur, commandé par le pied droit, est très sensible. Si je l'écrasais, la voiture se lancerait comme un boulet de canon. Dès que je relâche l'accélérateur, la voiture ralentit immédiatement, comme si j'appliquais les freins.

Dans la course, tout repose sur la vitesse. L'accélérateur est donc une commande importante. Mais cette vitesse ne vous servirait pas à grand-chose si vous ne disposiez pas des autres commandes et instruments installés dans le cockpit.

Personnalisation

Un cockpit bien conçu répond aux préférences particulières du pilote, afin qu'il lui soit plus facile de ne faire qu'un avec sa voiture. Assis dans son baquet, il ressent tout dans son corps et peut traduire ces sensations en réactions de conduite.

CAMPARI
MAGNETI MARELLI
CAMPARI
CAMPARI
CAMPARI
CAMPARI
CAMPARI
CAMPARI

Le Grand Prix de Belgique

 Spa-Francorchamps, Belgique

Une deuxième position à l'occasion d'une première course sur l'un des circuits les plus difficiles du monde pourrait être considérée comme satisfaisante. Mais j'ai été très déçu de ne pas remporter le Grand Prix de Belgique, parce que je suis parti de la pole position et que j'ai ensuite perdu la tête du peloton à cause d'un malheureux problème de communication.

Depuis le début de la saison j'avais hâte de courir sur ce circuit, qui ne m'a pas déçu. C'est vraiment l'une des grandes pistes du monde. Dommage qu'il n'y en ait pas plus comme celle-là, parce que le plaisir qu'elle donne aux pilotes explique pourquoi ceux-ci se sont lancés dans ce métier.

Si vous aimez vraiment la course sur route, impossible de trouver mieux qu'à Spa, que vous soyez pilote ou spectateur. Regarder les bolides de Formule 1 traverser à haute vitesse des paysages pittoresques est l'un des plus merveilleux spectacles du sport automobile, et la vue du cockpit est tout aussi saisissante. C'est une sensation indescriptible que d'attaquer Spa à fond de train dans ses nombreux virages rapides, et de garder le rythme pour monter et descendre ses collines abruptes. Grâce à la configuration ouverte du circuit et à la longueur du tour, le pilote peut adopter un rythme

Réalité virtuelle

Cela peut sembler être un moyen puéril de se préparer à une compétition sérieuse, mais un jeu vidéo sur Spa, très réaliste, m'a aidé à me familiariser avec le circuit. Mes résultats réels en Belgique ont été de beaucoup meilleurs que ceux que j'ai obtenus à l'écran.

fluide et avoir l'impression de s'exprimer au volant. En plus du plaisir que procure la vitesse, le pilote éprouve un merveilleux sentiment d'accomplissement de soi.

À Spa, dans certains virages, la force g exercée sur le pilote est aussi importante que celle que produisent les superpistes («superspeedways») d'IndyCar. La partie la plus célèbre du circuit, Eau Rouge, est fantastique. En vous en approchant, vous dévalez à fond de train une colline, et tout ce que vous voyez devant vous, c'est un mur qui semble s'élever à la verticale. Vous devez gravir ce mur, tout en changeant de direction. Le plus étrange, c'est que, au moment où vous croyez avoir atteint la limite, vous pouvez accélérer encore, car plus votre vitesse est grande, plus votre voiture est stable. Quelle sensation!

Avant de me rendre à Spa, j'ai fait quelques recherches. J'ai visionné l'enregistrement vidéo de l'un des plus grands tours de qualification d'Ayrton Senna. J'ai aussi joué à un nouveau jeu vidéo qui donne une impression réaliste du circuit belge. Cela peut sembler être un moyen puéril de se préparer pour une compétition aussi sérieuse, mais ce jeu m'a aidé à me familiariser avec le circuit. Le circuit de Spa est l'un des plus longs au monde; à la fin du tour, le nouveau venu, après avoir relevé tous les défis complexes que lui a lancés la piste de 7 km, risque d'avoir oublié tous les détails de la piste.

Dans le jeu vidéo, mon meilleur temps aurait à peine suffi à me valoir quelque chose comme la dix-huitième position sur la grille de départ. Mais dans la réalité, en Williams-Renault, j'ai obtenu la pole position. C'était toute une joie, compte tenu du fait que je n'avais jamais couru à Spa; par ailleurs, mes attentes étaient loin d'être modestes. En plus du plaisir de courir sur un circuit formidable, j'étais stimulé à l'idée de poursuivre la lutte contre Damon en vue du championnat. Mise à part la première course de la saison où j'avais eu la pole position, Damon avait toujours réussi à m'éclipser aux essais qualificatifs. Parfois, il m'avait devancé par une fraction de seconde. Mais cette avance, si infime qu'elle soit, compte beaucoup, surtout au départ, dans l'issue d'une course.

Il pleut presque toujours le week-end du Grand Prix à Spa. Bien entendu, la pluie est tombée après que j'ai eu couru le tour le plus rapide. Les nuages se sont ensuite dissipés, et Jock Clear craignait qu'un autre soit plus rapide que moi une fois la piste sèche. J'ai parié avec Jock que mon résultat resterait le meilleur; il a perdu son pari: à la dernière course de la saison, au Japon, il devrait se raser le crâne.

Impossible à Jock de se défiler, car tout le monde nous avait entendus engager le pari à la radio. Dans le garage, nous n'avions aucun problème de communication à ce moment-là, mais une conversation ultérieure à la radio se révélerait moins claire.

Le fait d'être le plus rapide aux essais libres précédant la course me remplissait d'optimisme. Mais il était peu probable que la compétition serait aisée, vu que Damon et Michael Schumacher occupaient respectivement les deuxième et troisième positions sur la grille de départ. Comme le départ de Damon a été lent, c'est contre Michael que j'ai dû lutter.

L'ingénieur déplumé

Durant les qualifications, j'ai parié avec Jock Clear que personne ne battrait mon résultat, qui me vaudrait la pole position. Le pauvre Jock a perdu: il devra se présenter la tête rasée à la dernière course de la saison.

Ma voiture était légèrement plus rapide que sa Ferrari; voilà qui tombait à pic, puisque Michael s'est donné au maximum, sur une piste où il avait connu certaines de ses courses les plus glorieuses. J'ai commencé à avoir plus de difficulté à le contenir quand, à cause d'un déséquilibre de freinage, mes roues avant se sont bloquées à plusieurs reprises. Les plats ainsi créés sur mes pneus produisaient des vibrations et contribuaient à faire sous-virer la voiture, ce qui était inquiétant dans les virages si rapides de Spa. Affronter ces problèmes tout en poussant la voiture au maximum pour conserver mon avance rendait la course encore plus excitante pour moi.

Malgré tout cela, j'ai pu rester devant Michael durant toute la première partie de la course. Puis, à cause d'un accident, la voiture officielle est apparue sur la piste. Jock Clear m'a parlé à la radio, mais je n'arrivais pas à comprendre ce qu'il disait. Toutes les voitures ralentissant et s'agglutinant derrière la voiture officielle, il était essentiel que je m'arrête vite au stand pour faire le plein et remplacer mes pneus. C'est ce que Michael a immédiatement fait. Moi, j'ai dû parcourir un autre tour avant de tirer au clair la communication avec le stand. Dès lors, Michael avait pris la tête.

Jock me demandait de m'arrêter au stand et moi je lui demandais la même chose, mais la radio ne fonctionnait pas bien. De toute évidence, c'était le moment opportun pour un arrêt au stand et, comme pilote, j'aurais pu prendre la décision moi-même. Mais, en l'absence de confirmation de la part de Jock, l'arrêt a été retardé, et ce retard nous a sans doute coûté la victoire.

De retour sur la piste, une fois la course reprise, il m'était plus difficile de pourchasser Michael que ce l'avait été de le contenir. Comme je roulais dans le sillage de sa Ferrari, la déportance de ma voiture s'en trouvait réduite, ce qui faisait que mes pneus avant adhéraient moins au sol et que ma voiture sous-virait davantage. Vu que l'avant de ma voiture risquait de déraper à tout

(Voir page suivante)

Erreur de communication

Quand, après un accident, la voiture officielle est apparue sur la piste pour faire ralentir les pilotes, il était important de faire immédiatement un arrêt au stand. Malheureusement, un problème de communication a retardé cet arrêt et nous a sans doute coûté la victoire.

moment dans les virages les plus rapides, Spa devenait pour moi une épreuve encore plus stimulante.

Il ne fallait pas relâcher la pression; je devais obtenir le maximum de points, car Damon se préparait à finir cinquième. J'ai donc poussé ma voiture à la limite de ses capacités, jusqu'à la fin de la course, où j'ai dû relâcher un peu, car j'entendais un drôle de bruit dans le système d'échappement. Peut-être était-ce mon imagination, mais je ne voulais prendre aucun risque, après le revers subi à cause d'un problème de communication.

Ma satisfaction d'avoir obtenu de bons résultats en Belgique a été entamée quelque peu par le fait qu'ils ne réduisaient que de 4 points l'avance que Damon avait sur moi; pour surmonter les 13 points restants, je devrais me démener comme un diable durant les trois dernières courses. Pourtant, cette tâche m'a semblé plus facile, à partir du moment où j'avais obtenu de si bons résultats sur le plus grand de tous les circuits.

Qualifications réussies

Rien ne plaît davantage à Frank Williams que de voir ses voitures rouler à leur vitesse maximum, surtout sur des circuits comme celui de Spa. Le propriétaire de l'écurie et son pilote ont été ravis des résultats obtenus aux qualifications.

« Samedi, Jacques a accompli tout un exploit, car c'est la première fois qu'il se trouve à Spa, l'un des circuits les plus difficiles qu'il aura à affronter cette saison. Sa pole position est un fait d'armes extraordinaire. »

FRANK WILLIAMS
(propriétaire de l'écurie Williams)

Montagnes russes

Spa est un circuit étonnant. Des montagnes russes à vous couper le souffle! Une fois que l'on a terminé fût-ce un seul tour rapide du circuit, à une vitesse moyenne de 225 km/h, on a vécu une expérience de conduite unique.

Le premier défi à relever se présente au virage La Source, une épingle dont on s'approche en freinant lourdement, pour passer de la cinquième à la première vitesse et ralentir de 270 km/h à 60 km/h. Même si c'est le virage le plus lent du circuit, il est loin d'être facile; à sa sortie, plusieurs trajectoires sont possibles au moment de l'accélération. Une grille de drainage traverse la piste; il faut accélérer avec prudence au moment où la voiture roule sur cette grille, pour éviter de patiner ou de perdre la maîtrise du véhicule et d'aller s'écraser sur la barrière, à gauche. Il faut raser la barrière le plus près possible, puis écraser l'accélérateur et arriver en sixième vitesse en descendant la pente abrupte. Arrivé au bas de la pente à quelque 300 km/h, le pilote doit se préparer à affronter l'endroit le plus difficile du circuit: la courbe Eau Rouge.

Juste avant de commencer à monter dans la courbe Eau Rouge, le pilote franchit un pont

(surplombant un ruisseau dont l'eau est rouge) sur lequel la voiture se plaque au sol. Une force g intense s'exerce sur le casque, tandis que le châssis heurte la route, ce qui projette des étincelles et fait dévier la voiture; le pilote se bat avec le volant en s'y accrochant du mieux qu'il peut. Toutes ces saccades ont pour effet d'embrouiller sa vision. Le moteur rugit comme jamais, mais le pilote doit se concentrer sur ce qui semble impossible: franchir la courbe à fond de train.

J'ai décidé de tenter cette manœuvre durant l'entraînement du samedi matin, avant les qualifications. Il faut prendre la décision de le faire, et franchir une barrière tout aussi mentale que physique. Il s'agit d'adopter une attitude semblable à celle que les courbes des superpistes ovales requièrent du pilote, qui doit s'obliger à rouler plus vite, tandis que son instinct de survie le presse de ralentir. Cette théorie de prendre les virages à haute vitesse, sorte de victoire de l'esprit sur la matière, se fonde sur le fait que plus la voiture roule vite, plus la déportance est intense et, par conséquent, plus le véhicule adhère au sol, ce qui permet au pilote d'augmenter encore sa vitesse.

Quand on franchit à fond de train la courbe Eau Rouge, on a l'impression de monter tout droit dans les airs. On tourne à gauche, puis à droite, tandis que la voiture, semblant s'alourdir, se plaque au sol à cause de l'intense déportance. Mais cette adhérence est précaire; la voiture a tendance à déraper...

Trop peu, trop tard

Comme d'habitude, l'exécution de notre travail au stand a été parfaite, au dixième de seconde près. Mais tous ces efforts n'ont pas suffi à compenser le retard dû à un problème de communication, et nous avons dû nous contenter d'une deuxième position à Spa.

à environ 275 km/h. Même si le pilote a l'impression que la catastrophe est imminente, il doit s'imaginer que son pied droit est rivé au sol et qu'il lui est impossible de le soulever. «Je ne lèverai pas le pied de l'accélérateur», doit-il se dire. Il devient de plus en plus tendu. Il cesse de respirer. Il voudrait fermer les yeux... mais il les garde écarquillés de peur. Mais, aussitôt la courbe franchie, ses yeux clignent rapidement.

La première fois que l'on réussit à franchir cette courbe à toute vitesse, on se demande s'il est sage de tenter le destin une fois de plus. On a l'impression d'avoir frôlé la catastrophe, et on s'estime chanceux de l'avoir évitée. La difficulté, quand on se rapproche si près de la limite, c'est qu'on exerce moins de contrôle sur une situation dans laquelle la voiture est malmenée. Le pilote aussi est malmené; il se fait ballotter dans la voiture, la force g maximale tire et pousse sur lui dans tous les sens. Par conséquent, il ne peut pas réagir aussi rapidement que d'habitude si un problème surgit.

L'instinct et une foi aveugle en ses propres capacités jouent un rôle majeur dans ce cas. À mi-chemin dans la montée, la voiture frôle le bord droit de la piste, tandis que le pilote doit tourner de nouveau à gauche. Il regarde droit devant lui, mais ne sait pas où il va. Tout ce qu'il voit, c'est un mur d'asphalte devant, et un vibreur rouge et blanc sur le côté. Il doit imaginer ce qu'il y a devant lui, et bien s'accrocher tant que le paysage n'est pas revenu à la normale et qu'il n'aperçoit pas à l'horizon le long droit qui s'en vient.

Après la courbe Eau Rouge, la piste monte graduellement jusqu'au virage à droite Les Combes où, à 300 km/h, il faut freiner lourdement et réduire de moitié sa vitesse. Il est essentiel de bien amorcer ce virage, afin d'être préparé pour la succession de coudes qui suit. Le pilote peut adopter un bon rythme dans le virage Malmédy, où il n'est pas nécessaire de freiner mais seulement de relâcher un peu l'accélérateur, et dans la descente abrupte précédant le virage Rivage, où il atteint une vitesse d'environ 250 km/h.

Penser à fond de train

Se mettre dans l'état d'esprit qu'il faut pour affronter la redoutable courbe Eau Rouge fait appel à la pensée positive. Le pilote doit se convaincre qu'il est possible de la franchir à fond de train, même si son instinct de survie lui dit le contraire.

Le virage Rivage est celui du circuit qui me plaît le moins. La piste y est inclinée vers la gauche, alors que la voiture tourne à droite. À cause des réglages, l'adhérence de notre voiture était réduite à cet endroit; le sous-virage était vraiment frustrant: je braquais et j'attendais – pendant ce qui me semblait une éternité – que la voiture tourne. Au virage à gauche suivant, amorcé en troisième vitesse, à environ 150 km/h, le même décalage se faisait sentir dans la réaction de la voiture. Pour le compenser, je devais commencer à braquer plus tôt que je ne l'aurais voulu, ce que je n'aime pas faire. Ce virage-là est lui aussi mal incliné et glissant; au cours d'un tour rapide, si le pilote freinait lourdement pour aider la voiture à tourner, celle-ci se mettrait de travers.

Le pilote oublie vite l'agacement suscité par ces virages lents quand il arrive au virage Pouhon, l'un des plus stimulants du circuit. Au moyen d'un petit coup de frein, il ralentit à environ 280 km/h, entre dans le virage et y accélère du début à la fin, ce qui est particulièrement excitant. Dans la descente, au moment où on le croit terminé, le virage Pouhon s'accentue vers la gauche, et la voiture s'approche du bord de la piste. À ce moment, le pilote roule à fond de train, engendrant une force g environ quatre fois plus intense que la pesanteur. Cette expérience est exaltante.

Les courbes droite et gauche de Fagnes se négocient en deux étapes. Dans la première partie, l'adhérence est forte; la voiture gravit une pente; le pilote freine lourdement pour que sa vitesse passe de près de 300 km/h à environ 160 km/h. Puis il accélère vivement, mais brièvement, avant de ralentir à l'entrée de la seconde courbe, où, passant sur une bosse, il essaie de garder le contrôle de son bolide sur la surface glissante de la piste, ici aussi mal inclinée.

Le pilote accélère ensuite jusqu'au virage à angle droit Stavelot, lui aussi à négocier en deux étapes. Il entre dans la première courbe à environ 150 km/h, en troisième vitesse, et dans la seconde à environ 230 km/h, en quatrième vitesse. C'est un virage plutôt simple, mais néanmoins excitant.

Totale euphorie

Regarder les bolides de Formule 1 fendre ce paysage pittoresque constitue l'un des spectacles les plus saisissants du sport automobile. Ce que voit le pilote de son cockpit est tout aussi excitant, et le plaisir de conduire à Spa lui rappelle pourquoi il a choisi ce sport en premier lieu.

Le long virage Blanchimont, à droite, se prend à plus de 300 km/h. La grande vitesse dans ce virage donne au pilote l'impression qu'il se trouve dans la courbe d'une piste ovale. La force de 4 g que génère Blanchimont est semblable à celle qui s'exerce sur le pilote d'IndyCar roulant à vive allure sur une superpiste («superspeedways»). Autre similarité: le virage Blanchimont n'a pas d'échappatoire; la barrière court le long de la piste. Mais le pilote qui perdrait la maîtrise de son véhicule dans ce virage pourrait dissiper une bonne partie de son énergie cinétique en heurtant le mur, pourvu qu'il le fasse en oblique. Heureusement, je n'ai pas eu à mettre cette théorie à l'épreuve.

Après les sensations fortes suscitées par le virage Blanchimont, le pilote doit freiner lourdement pour négocier la pire partie du circuit de Spa: la chicane. Celle-ci a été conçue pour améliorer la sécurité, mais faire une embardée à gauche, puis une autre à droite à environ 80 km/h est loin d'être amusant. La chicane n'a rien de naturel, contrairement au reste du circuit, en grande partie constitué de voies publiques. Non seulement elle gâche le rythme du pilote, mais elle semble aller à l'encontre de l'esprit de Spa.

Quoi qu'il en soit, le pilote franchit vite l'ennuyeuse chicane et, quelques centaines de mètres plus loin, au moment où il accélère en franchissant la ligne de départ et d'arrivée, il arbore un large sourire, tout content qu'il est d'amorcer un autre tour du circuit de Spa.

Un plaisir rare

Après avoir effectué un seul tour du circuit de Spa, le pilote arbore un large sourire; il est impatient d'en relever de nouveau les défis. Un tel plaisir est rare dans le monde de la Formule 1; dommage qu'il n'existe pas davantage de circuits comme celui-là.

Le Grand Prix de Belgique – 25 août 1996

Symboles

🕐	Vitesse (km/h)
⚙	Rapport
Ⓕ	Force g

Temps de qualification

RANG	PILOTE	ÉCURIE	TEMPS
1	VILLENEUVE	Williams-Renault	1:50,574
2	HILL	Williams-Renault	1:50,980
3	SCHUMACHER	Ferrari	1:51,778
4	COULTHARD	McLaren-Mercedes	1:51,884
5	BERGER	Benetton-Renault	1:51,960
6	HAKKINEN	McLaren-Mercedes	1:52,318
7	ALESI	Benetton-Renault	1:52,354
8	BRUNDLE	Jordan-Peugeot	1:52,977
9	IRVINE	Ferrari	1:53,043
10	BARRICHELLO	Jordan-Peugeot	1:53,152
11	FRENTZEN	Sauber-Ford	1:53,199
12	HERBERT	Sauber-Ford	1:53,993
13	SALO	Tyrrell-Yamaha	1:54,095
14	PANIS	Ligier-Mugen-Honda	1:54,220
15	DINIZ	Ligier-Mugen-Honda	1:54,700
16	VERSTAPPEN	Arrows-Hart	1:55,150
17	KATAYAMA	Tyrrell-Yamaha	1:55,371
18	ROSSET	Arrows-Hart	1:56,286
19	LAMY	Minardi-Ford	1:56,830

Résultats de la course

RANG	PILOTE	TOURS	ÉCART	TEMPS
1	SCHUMACHER	44		1:28:15,125
2	VILLENEUVE	44	5,602	1:28:20,727
3	HAKKINEN	44	15,710	1:28:30,835
4	ALESI	44	19,125	1:28:34,250
5	HILL	44	29,179	1:28:44,304
6	BERGER	44	29,896	1:28:45,021
7	SALO	44	1:00,754	1:29:15,879
8	KATAYAMA	44	1:40,227	1:29:55,352
9	ROSSET	43	1 tour	
10	LAMY	43	1 tour	

Points des constructeurs

CONSTRUCTEUR	POINTS	CUMULATIF
Williams-Renault	8	149
Benetton-Renault	4	55
Ferrari	10	48
McLaren-Mercedes	4	41
Jordan-Peugeot	0	15
Ligier-Mugen-Honda	0	14
Sauber-Ford	0	10
Tyrrell-Yamaha	0	5
Arrows-Hart	0	1

Points des pilotes

PILOTE	POINTS	CUMULATIF
HILL	2	81
VILLENEUVE	6	68
SCHUMACHER	10	39
ALESI	3	38
HAKKINEN	4	23
COULTHARD	0	18
BERGER	1	17
PANIS	0	13
BARRICHELLO	0	12
IRVINE	0	9
FRENTZEN	0	6
SALO	0	5
HERBERT	0	4
BRUNDLE	0	3
VERSTAPPEN	0	1
DINIZ	0	1

Meilleurs temps

VITESSE DU GAGNANT:
Michael Schumacher 208,374 km/h

TOUR LE PLUS RAPIDE:
Gerhard Berger 1:53,067
221,783 km/h

Le Grand Prix d'Italie

Monza, Italie

Quand je suis arrivé septième au Grand Prix d'Italie, sans obtenir un seul point, certains m'ont demandé pourquoi je n'étais pas plus déçu ou irrité que je l'étais. La réponse est simple: j'ai dissipé ma frustration en pilotant du mieux que j'ai pu durant les 50 tours parcourus au volant d'une voiture handicapée. Composer avec la très mauvaise maniabilité de celle-ci m'a épuisé, en plus d'avoir sur moi un effet calmant. En outre, je n'avais à m'en prendre qu'à moi-même, puisque tous ces problèmes étaient dus à une erreur de pilotage durant les premiers tours. Un incident semblable à celui qui m'est arrivé — une collision avec une barrière de pneus — a forcé Damon à abandonner la course. Même si nos malheurs signifiaient que ce week-end ne vaudrait aucun point à notre écurie, ils signifiaient aussi que notre lutte pour le championnat du monde se poursuivrait.

Avant ce Grand Prix, nous avons eu une séance d'essais au circuit Paul-Ricard, en France, puis j'ai passé quelques jours chez moi, à Monaco. Une fois mon entraînement physique repris et mes tâches domestiques assumées, j'ai organisé une partie de «Dungeons and Dragons» avec quelques amis. Nous étions huit. Nous avons été si captivés par cette activité que nous avons joué pendant dix-huit heures durant le week-end. C'était pour moi un excellent moyen de m'évader de la réalité et d'oublier la course.

Le voyage en Italie a commencé de façon agréable. De la côte méditerranéenne, je suis remonté jusqu'à Monza, située tout près de Milan. *L'Autodromo di Monza* a été la scène de mes premières aventures dans le monde de la course automobile, dans le championnat italien de Formule 3. À cette époque, Monza était encore l'une des grandes pistes du monde – vitesses moyennes élevées, virages excitants et nombreux endroits permettant les dépassements. Depuis, des modifications y ont été apportées pour la rendre plus sûre, dont l'ajout de chicanes avant certains virages rapides. Le ralentissement obligatoire dans les chicanes brise le rythme, autrefois si agréable. Le circuit reste toutefois intéressant pour la conduite d'une Formule 1, comme nous nous en sommes rendu compte durant la séance d'essais, avant le début de la saison.

Coups durs

Avant que les barrières de pneus ne soient installées dans les chicanes, une voiture a projeté dans les airs un morceau de béton arraché au bord de la piste, lequel a brisé mon aileron avant. Heureusement, il n'a pas atteint mon casque. Mais j'ai plus tard heurté une barrière de pneus, ce qui m'a enlevé toute chance de gagner.

Au début de l'entraînement du vendredi, nous avons constaté que des blocs de béton avaient été installés dans les chicanes. Dès que les voitures ont atteint une certaine vitesse, ceux-ci ont commencé à nous causer des ennuis. Durant un tour rapide, il faut vraiment attaquer les chicanes; ce faisant, les voitures heurtent les blocs de béton. Les chocs répétés ont fini par effriter le matériau, ce dont j'ai eu vite fait de me rendre compte: la voiture qui me précédait a projeté dans les airs un morceau de béton qui a brisé l'aileron avant de ma voiture. L'incident aurait été plus grave si le projectile avait atteint mon casque. Quoi qu'il en soit, il fallait absolument prévenir un autre incident du genre. Il a donc été décidé de remédier temporairement à la situation en installant des barrières de pneus devant le bord de la piste. Les pilotes ont été consultés; certains d'entre nous s'inquiétaient de ce qui arriverait si une voiture entrait dans une barrière de pneus durant la course.

De fait, les barrières de pneus ont causé de nombreux problèmes et ont joué un rôle déterminant dans les résultats de l'épreuve. Il est sûr et certain qu'elles ont ruiné ma course. Mais d'une certaine façon, je devrais m'estimer heureux d'y avoir participé, compte tenu du grave incident survenu le samedi matin.

Durant un tour rapide, alors que je filais à 325 km/h dans l'un des droits de Monza, une voiture roulant beaucoup plus lentement que la mienne s'est placée devant moi, m'obligeant à filer dans le gazon. Hors de contrôle, ma voiture a fait plusieurs tête-à-queue avant de heurter violemment une glissière. Heureusement, ces tête-à-queue ont réduit la vitesse du véhicule, qui n'a pas subi de dommages très importants. Mais cet incident terrifiant aurait pu être catastrophique. J'étais furieux – et c'est peu dire – qu'on m'ait ainsi fait sortir de la piste, même si le geste n'avait pas été délibéré.

J'étais irrité de devoir manquer le reste de la séance d'entraînement, durant laquelle nous aurions pu parfaire les réglages de qualification. Une fois réparée, la voiture m'a semblé dans un état raisonnablement bon, compte tenu de ce qu'elle avait subi, et nous avons réussi à obtenir un temps digne de la deuxième position sur la grille, derrière Damon. Durant les essais libres, la voiture m'est apparue solide, même si elle manquait de vitesse dans les droits, comparée à celle de Damon. Nos positions respectives sur la grille signifiaient que notre lutte en vue du championnat se poursuivrait en tête de peloton, du moins au départ. Il s'est fait qu'elle ne s'est pas poursuivie longtemps.

Le départ a été désordonné, chaque pilote manœuvrant pour se placer avantageusement, dont Damon qui a commencé à me coincer près du mur de la voie des stands, à droite de la piste. Nous avons réussi à éviter le contact, mais il y avait pas mal de voitures encore en peloton à l'approche de la première chicane. Je n'avais pas assez de marge de manœuvre pour emprunter la trajectoire conventionnelle; pour éviter de causer un accident, j'ai pris un raccourci. Ce geste n'a pas entraîné de pénalité, car je n'avais dépassé personne. En réalité, il m'aurait été difficile de dépasser qui que ce soit, car ma voiture était de nouveau paresseuse, comme durant les essais libres. Dans les droits, en passant d'une vitesse à l'autre, j'avais l'impression qu'un mur se dressait devant moi; au troisième tour, j'étais tombé en cinquième position.

C'est alors que j'ai accroché la barrière de pneus de l'une des chicanes. Ce n'était qu'une erreur de jugement. Le choc m'avait paru faible; toutefois, il avait déformé certains composants de la suspension avant. Ma voiture roulait de façon étrange. On aurait dit que l'une des roues avant était plus haute que l'autre. Cette différence abîmait les pneus: au bout de quelques tours, des morceaux de caoutchouc ont commencé à s'en détacher. Nous avions prévu un seul arrêt au stand, mais j'ai dû en faire trois, pour remplacer les pneus usés. Toutes ces difficultés m'enlevaient toute chance de remporter la victoire. Mais les autres pilotes connaissaient aussi des problèmes; il était donc important que je tienne bon, afin de gagner quelques points. La moitié des pilotes ont abandonné la course, mais il est resté suffisamment de meneurs pour nous empêcher de récolter des points.

Bon nombre de ces abandons, notamment celui de Damon, ont été causés par la collision des voitures avec les barrières de pneus. Une meilleure solution au problème des chicanes doit être trouvée avant que nous courions de nouveau à Monza.

Deux courses restent à disputer durant la saison 1996: deux autres occasions de m'attaquer à l'avance de 13 points dont jouit Damon dans la lutte pour le championnat.

Expérience terrifiante

Être forcé de quitter la piste à 325 km/h a été une expérience terrifiante qui aurait pu être catastrophique. J'étais furieux contre le pilote qui avait causé ma sortie de piste, même s'il ne l'avait pas fait exprès.

(voir page suivante)

Après l'accident

Après une série de tête-à-queue, ma voiture a violemment heurté une glissière, puis elle a glissé avant de s'immobiliser. Les dommages n'étaient pas majeurs. Une fois la voiture réparée, j'ai réussi à me qualifier deuxième.

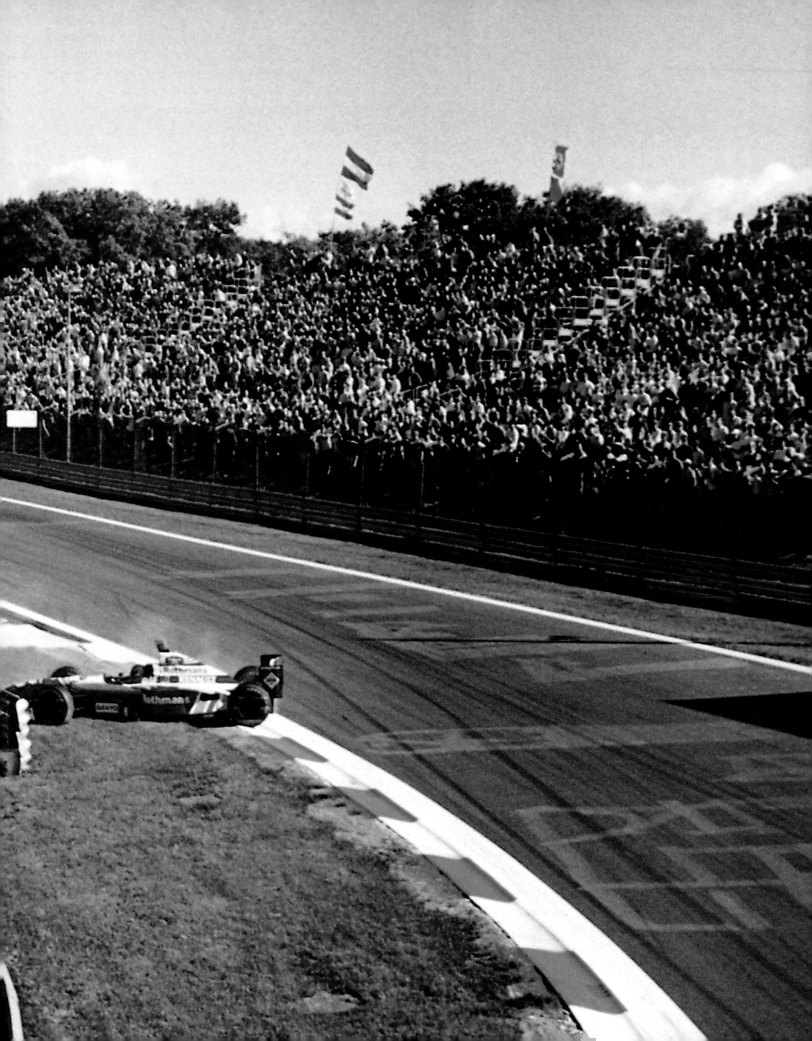

Le Grand Prix d'Italie – 8 septembre 1996

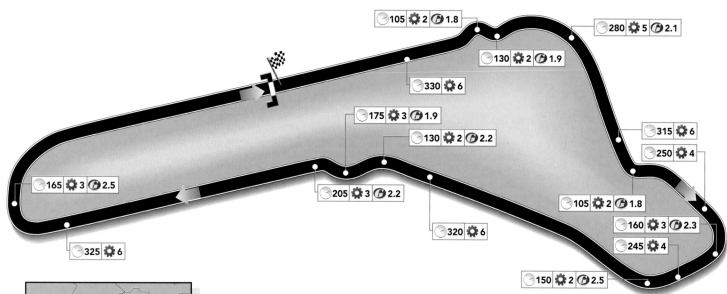

Monza

ITALIE

Symboles

	Vitesse (km/h)
	Rapport
	Force g

Temps de qualification

RANG	PILOTE	ÉCURIE	TEMPS
1	HILL	Williams-Renault	1:24,204
2	VILLENEUVE	Williams-Renault	1:24,521
3	SCHUMACHER	Ferrari	1:24,781
4	HAKKINEN	McLaren-Mercedes	1:24,939
5	COULTHARD	McLaren-Mercedes	1:24,976
6	ALESI	Benetton-Renault	1:25,201
7	IRVINE	Ferrari	1:25,226
8	BERGER	Benetton-Renault	1:25,470
9	BRUNDLE	Jordan-Peugeot	1:26,037
10	BARRICHELLO	Jordan-Peugeot	1:26,194
11	PANIS	Ligier-Mugen-Honda	1:26,206
12	HERBERT	Sauber-Ford	1:26,345
13	FRENTZEN	Sauber-Ford	1:26,505
14	DINIZ	Ligier-Mugen-Honda	1:26,726
15	VERSTAPPEN	Arrows-Hart	1:27,270
16	KATAYAMA	Tyrrell-Yamaha	1:28,234
17	SALO	Tyrrell-Yahama	1:28,472
18	LAMY	Minardi-Ford	1:28,933
19	ROSSET	Arrows-Hart	1:29,181
20	LAVAGGI	Minardi-Ford	1:29,833

Résultats de la course

RANG	PILOTE	TOURS	ÉCART	TEMPS
1	SCHUMACHER	53		1:17:43,632
2	ALESI	53	18,265	1:18:01,897
3	HAKKINEN	53	1:06,635	1:18:50,267
4	BRUNDLE	53	1:25,217	1:19:08,849
5	BARRICHELLO	53	1:25,475	1:19:09,107
6	DINIZ	52	1 tour	
7	VILLENEUVE	52	1 tour	
8	VERSTAPPEN	52	1 tour	
9	HERBERT	51	2 tours	
10	KATAYAMA	51	2 tours	

Points des constructeurs

CONSTRUCTEUR	POINTS	CUMULATIF
Williams-Renault	0	149
Benetton-Renault	6	61
Ferrari	10	58
McLaren-Mercedes	4	45
Jordan-Peugeot	5	20
Ligier-Mugen-Honda	1	15
Sauber-Ford	0	10
Tyrrell-Yamaha	0	5
Arrows-Hart	0	1

Points des pilotes

PILOTE	POINTS	CUMULATIF
HILL	0	81
VILLENEUVE	0	68
SCHUMACHER	10	49
ALESI	6	44
HAKKINEN	4	27
COULTHARD	0	18
BERGER	0	17
BARRICHELLO	2	14
PANIS	0	13
IRVINE	0	9
FRENTZEN	0	6
BRUNDLE	3	6
SALO	0	5
HERBERT	0	4
DINIZ	1	2
VERSTAPPEN	0	1

Meilleurs temps

VITESSE DU GAGNANT:
Michael Schumacher 235,957 km/h

TOUR LE PLUS RAPIDE:
Michael Schumacher 1:26,110
241,147 km/h

Hors de la piste

Même si nous n'avons pas chômé au Grand Prix d'Italie, la course proprement dite n'a duré qu'environ quatre-vingts minutes. Cependant, un week-end de Grand Prix, c'est bien plus qu'une simple course.

Le jeudi

Le jeudi après-midi marque le début officiel du week-end de course. Mais, souvent, nous arrivons avant cela au circuit, afin que je m'acclimate aux environnements qui me sont pour la plupart nouveaux. Si la distance à couvrir est trop grande pour que je me rende au circuit en voiture, je prends un vol tard le mercredi. Quand nous courons à l'extérieur de l'Europe, nous arrivons le lundi ou le mardi, pour dissiper un peu les effets du décalage horaire.

Où que nous nous trouvions dans le monde, les paddocks se ressemblent, en ce sens que s'y trouvent les mêmes autocaravanes et les mêmes personnes. Toutefois, l'ambiance n'y est pas toujours pareille. Certains paddocks – plus ouverts et disposant parfois de quelques aires où pousse de l'herbe – sont plus agréables que d'autres – pavés et si restreints qu'on y a l'impression de se trouver dans une ville surpeuplée. Je préfère les paddocks de type ouvert; c'est pourquoi je pense que le paddock incroyablement surpeuplé du Grand Prix de Monaco est le pire au monde.

Le jeudi, je vais d'abord au garage voir Jock Clear et les mécaniciens, afin de discuter des points d'intérêt pour le week-end. Nous échangeons des idées et nous faisons en sorte de nous mettre dans l'esprit de la course. Le jeudi, nous essayons d'accorder le plus d'entrevues possible aux médias qui les ont sollicitées, afin de pouvoir concentrer toute notre attention sur la course pendant le reste du week-end.

Après avoir passé au moins trois heures dans le paddock, je rentre à l'hôtel, où je dîne vers 20 h. Mon programme est très rigide les week-ends de course; toutes mes activités ont pour but de me mettre dans l'état d'esprit du coureur. Sandrine – ou tout autre compagnon de voyage – le sait et l'accepte. J'aime la compagnie et j'essaie de me montrer sociable, mais la course passe avant tout. La période du jeudi au dimanche doit se dérouler comme je l'entends.

Le jeudi soir, j'essaie de me coucher à 22 h ou à 23 h; parfois, je lis un peu avant de dormir. Je m'endors beaucoup plus facilement aujourd'hui qu'à l'époque de mes débuts dans le métier, où j'avais moins confiance en moi et où la course m'inquiétait davantage. Chaque année, à mesure que mes résultats s'améliorent, le sommeil me vient plus facilement. On dirait que les succès ont l'effet d'un sédatif. Fort heureusement pour moi, je n'ai pas eu beaucoup de difficulté à m'endormir depuis que je pilote une Formule 1.

Tenir le coup

Il faut de l'endurance pour résister à la frénésie des activités qui entourent un Grand Prix. Durant les week-ends de course, je n'ai pas toujours le temps de m'entraîner physiquement. Mais, parfois, j'arrive à faire un peu de jogging — tout en me faisant bronzer.

Le vendredi

Le vendredi, je me lève assez tôt pour compenser les embouteillages possibles sur le chemin menant au circuit. J'arrive généralement au moins quatre-vingt-dix minutes avant de devoir commencer à m'entraîner sur la piste. Je déjeune dans l'autocaravane de l'écurie Williams, généralement en compagnie de Craig et de Jock. Mon petit déjeuner, le repas le plus important de ma journée, est copieux: œufs, céréales, parfois toasts et beurre d'arachide, le tout arrosé de grands verres de lait.

Immédiatement après l'entraînement commence la ronde des entrevues et conférences de presse; je n'ai donc pas le temps de déjeuner avant le milieu de l'après-midi. Pendant que nous mangeons, généralement dans l'un des camions de l'équipe, je fais mes commentaires aux mécaniciens et ingénieurs. Quand tout va bien, cette séance est courte. Vient ensuite le travail de relations publiques pour le compte des commanditaires. Nous ne quittons pas le circuit avant 19 h. De retour à l'hôtel, je prends un léger repas; j'essaie de me coucher le plus tôt possible pour être en forme le samedi, dont l'horaire est chargé.

Le samedi

Le samedi, nous prenons le petit déjeuner au circuit à 7 h 30, et je commence l'entraînement sur piste dès 9 h. À partir de ce moment, jusqu'à la fin des qualifications, je passe le plus clair de mon temps dans la voiture ou dans le garage. Si j'obtiens l'une des trois premières positions sur la grille de départ, je dois participer à une conférence de presse dès que je descends de la voiture. N'ayant pas le temps de déjeuner convenablement, j'avale quelque chose à la hâte, car je dois me rendre dans la suite des commanditaires et y passer parfois plus d'une heure. Après cela, j'essaie de compléter mon déjeuner avant d'accorder d'autres entrevues aux médias. Puis, j'assiste à une autre réunion de l'équipe. Il est souvent 19 h ou 20 h quand j'arrive enfin à partir; parfois, d'autres engagements m'attendent en dehors du circuit avant que je puisse rentrer à l'hôtel.

Le samedi, je n'ai pas une minute à moi. Toutes ces activités risquent de nuire à la course, mais c'est comme cela en Formule 1. À la fin de la journée, j'ai passé douze heures d'activités frénétiques, à me faire bousculer d'un endroit à l'autre, à manger trop vite et pas assez, sans avoir une seconde pour me relaxer. Généralement épuisé, je tiens à prendre un bon repas le soir, au cours duquel je peux m'amuser et me détendre, sans parler de course.

Je suis parfois trop tendu pour m'endormir rapidement; mais cette période de veille involontaire peut être productive. Les moments que je passe étendu sur mon lit, calme et à l'abri des distractions, est propice à la réflexion, à la recherche d'idées susceptibles d'améliorer mon rendement sur la piste. J'espère seulement me souvenir de ces idées le lendemain matin! De la même façon, quand je ne prends pas l'avion et que je me rends au Grand Prix en voiture, le temps que dure le voyage n'est pas perdu, car j'en profite pour réfléchir à ce que je ferai sur la piste.

Le dimanche

Je me lève tôt le dimanche matin aussi, car je dois tenir compte de la circulation plus dense sur le chemin menant au circuit. Il faut y arriver deux heures avant les essais libres, qui commencent généralement à 9 h 30. Même si c'est le grand jour, celui du week-end qui compte le plus, je suis généralement détendu. En fait, le matin, je suis toujours détendu, trop fatigué pour m'énerver. Durant le petit déjeuner dans l'autocaravane, nous discutons Jock et moi des idées qui ont pu nous venir depuis la veille.

Après les essais libres je dispose d'une heure pour discuter avec l'équipe, avant de me rendre à la réunion d'information des pilotes, au centre de contrôle. C'est là qu'on nous fait part des règles de la course et, s'il y a lieu, des nouveautés, et c'est là aussi que peuvent se faire entendre les pilotes qui ont des questions ou des suggestions. Cette réunion donne généralement lieu à un bon échange de points de vue. On sait alors ce que pensent les pilotes, ce qui leur est concédé ou refusé; des compromis sont souvent atteints.

Discussion d'équipe

Avant le Grand Prix, il faut discuter de la course avec l'équipe. L'un des points forts de l'écurie Williams, c'est la communication ouverte. Chacun des membres a voix au chapitre; du choc des idées naît la lumière.

Vient ensuite la parade des coureurs, que je n'aime pas beaucoup parce qu'elle me cause des ennuis, du fait que je porte des verres de contact. Durant la parade en voiture découverte autour du circuit, le vent et la poussière assèchent mes lentilles, qui deviennent alors inconfortables. Peut-être devrais-je porter des lunettes de protection!

J'aime bien voir les spectateurs et les saluer; l'accueil est généralement chaleureux. Pourtant, durant la parade à Monza – Damon et moi nous trouvions comme d'habitude dans la même voiture –, certains fanatiques de l'écurie Ferrari nous ont hués, en plus de nous faire des bras d'honneur. Damon et moi nous sommes amusés à nous accuser mutuellement d'avoir provoqué cette réaction. Durant les parades, les pilotes sourient constamment et saluent la foule; c'est généralement plaisant. Les amateurs viennent voir un spectacle. Bien entendu, chaque fois qu'une foule se rassemble, la mentalité collective se dégrade d'un cran ou deux.

Cette année, il n'y a pas eu de parade à Montréal; je n'ai donc pas pu apparaître devant les partisans de mon pays natal. Il est naturel que les gens acclament surtout leurs héros locaux. Pourtant, en Allemagne, même les fans de Michael Schumacher acclamaient tous les coureurs; toutefois, l'habitude qu'ils ont de lancer des pétards est un peu déconcertante. L'une des plus belles parades de la saison a été celle du Brésil, où tous les pilotes ont fait le tour de la piste dans le même camion. Les fans nous acclamaient en tant que groupe, ce qui était gentil. Personne ne se sentait laissé pour compte.

Après la parade, nous devons rendre visite aux commanditaires et à leurs invités, dans les salons d'accueil. Une fois toutes ses obligations satisfaites, le pilote dispose d'environ une heure pour se préparer à la course – et il n'a pas encore mangé ni assisté à la réunion d'avant-course de son équipe. Il faut donc qu'il avale en vitesse quelque chose pendant qu'il discute, puis qu'il se précipite vers sa voiture.

Je dois reconnaître que l'organisation des dimanches ne me plaît guère. Après toutes sortes d'activités, le pilote se trouve soudainement dans sa voiture, dont il n'est pas sûr, et il souffre parfois d'une indigestion pour avoir mangé trop vite... c'est souvent un moment très désagréable. Le vendredi et le samedi ont été bien remplis, certes, mais il est ridicule de concentrer sur une si courte période, le dimanche, un si grand nombre d'activités accessoires, au point que le pilote est souvent moins bien préparé qu'il devrait l'être pour l'activité la plus importante du week-end: la course. Mais c'est comme cela en Formule 1, et il faut l'accepter.

Parfois, une demi-heure avant la course, j'ai le temps de me faire masser par Erwin, notre physiothérapeute. Il me faut ensuite un quart d'heure pour m'installer dans le cockpit. La plupart du temps, je suis assez calme, à moins que mes obligations antérieures n'aient grugé plus de mon temps que d'habitude, dans lequel cas je m'énerve, parce que je n'ai pas eu le temps de faire tout ce que j'ai besoin de faire, par exemple aller aux toilettes!

Quoi qu'il en soit, j'oublie vite ces tracas, faute d'avoir le temps d'y penser. À 13 h 30, les pilotes sortent leur voiture des stands et se placent sur la grille de départ. Durant les trente minutes qui suivent, le pilote a sa dernière conversation avec son équipe; puis il se recueille pour se concentrer sur sa tâche. À 14 h, la course commence.

Contraintes de temps

À cause de la pression incessante des médias, et des exigences des commanditaires et des fans, il reste peu de temps au pilote pour se préparer à l'activité la plus importante du week-end: la course.

Après la course, ce que le pilote souhaite surtout, c'est de quitter le circuit et de rentrer à l'hôtel. Il a fait son travail; le point culminant du week-end est passé; il coupe tous les moteurs de son esprit. Après le moment d'exaltation suprême, il revient sur terre. Durant la course, l'organisme du pilote a sécrété endorphine et adrénaline. Une fois le drapeau à damiers déployé, le pilote est désintoxiqué. Il se sent fatigué, parfois même un peu déprimé s'il a connu une course médiocre. Tout ce qu'il veut, c'est s'en aller. Même si le pilote a remporté la victoire, son moment d'euphorie est très bref, et il veut s'éloigner de tout cela. Toutefois, mieux il a réussi, plus longtemps il doit rester au circuit.

Parade de célébrités

À Monza, durant la parade des pilotes, Damon et moi nous sommes taquinés en nous accusant mutuellement d'avoir provoqué la réaction négative des fans de Ferrari. En général, ces parades sont agréables, même si elles font perdre aux pilotes un temps précieux.

Aussitôt sorti de la voiture, les officiels entourent le pilote et le conduisent précipitamment vers le podium, où il écoute les hymnes nationaux, reçoit son trophée et, comme le veut la coutume, fait gicler le champagne. Même si je n'aime pas me faire arroser le visage de champagne – cela m'irrite les yeux à cause de mes verres de contact –, cela fait partie du jeu, et je manie la bouteille aussi bien que les autres. Mais après avoir déployé tant d'efforts durant la course, je préférerais boire le champagne au lieu d'en arroser les autres.

Après la scène du podium, il faut donner une série de conférences de presse. Jusque-là, le pilote n'a vu aucun membre de son écurie; il a l'impression que la dimension humaine de la course est quelque peu escamotée. Plus tard, il lui est encore plus difficile de partager sa joie avec ses coéquipiers, parce que, au moment où il arrive au garage, les membres de l'équipe sont occupés à tout remballer pour quitter le circuit. Il peut sembler étrange de se sentir isolé de l'humanité quand on est tellement entouré. Mais c'est souvent l'impression qu'a le pilote un week-end de Grand Prix. 🏁

Seul dans la foule

Si étrange que cela puisse paraître de se sentir isolé du reste de l'humanité quand on est tellement entouré, c'est souvent une impression de solitude que ressent le pilote durant un week-end de Grand Prix.

Le Grand Prix du Portugal

 Estoril, Portugal

Mon principal objectif à Estoril était de marquer au moins quatre points de plus que Damon, si je voulais conserver une chance de remporter le championnat du monde. J'ai eu la satisfaction d'atteindre cet objectif et, qui plus est, dans une course des plus excitantes. Ma victoire à Estoril a été non seulement la plus importante de ma saison, mais aussi la plus enivrante.

L es nombreux essais effectués sur le circuit d'Estoril m'ont été très précieux. C'est un tracé en majeure partie serré et sinueux, bien qu'il comporte aussi quelques virages rapides où le pilote peut vraiment améliorer son temps, s'il garde l'accélérateur enfoncé. C'est durant les qualifications qu'il doit chercher le meilleur temps parce que, la piste présentant peu d'occasions de dépasser, une bonne position sur la grille de départ est capitale. Comme nous connaissions parfaitement le circuit, nous avons réglé la voiture exactement comme nous le voulions, et tout s'est bien passé sur le plan de la conduite aussi. Malheureusement pour moi, aux qualifications Damon avait une avance de neuf millièmes de seconde, et une averse vers la fin de la séance d'essais m'a enlevé toute chance de faire mieux que lui.

Une manœuvre nécessaire

Michael Schumacher était pour moi un obstacle sur la route du championnat; j'ai donc dû tenter de le dépasser, même si j'avais peu de chances de réussir. Je n'aurais pas tenté cette manœuvre risquée avec un pilote moins compétent.

« Bien entendu, j'ai été surpris lorsqu'il m'a doublé. J'ai regardé dans mon rétroviseur. Rien. Soudain, je l'ai aperçu à ma hauteur. Le moment a été angoissant, mais nous nous en sommes bien tirés. »

MICHAEL
SCHUMACHER
(*pilote de Ferrari*)

Quelle frustration d'être privé de la pole position par neuf millièmes de seconde! Selon les ingénieurs de Renault, cette différence de temps correspondait sur la piste à une distance d'environ 75 cm. Je me consolais en me disant que plusieurs fois auparavant, quand Damon m'avait battu aux qualifications, c'était quand même moi qui avais gagné la course. Et c'est ce qui s'est passé encore une fois au Portugal, malgré un début de course peu prometteur.

Une fois que chacun a eu pris sa place durant le premier tour, Damon menait largement; moi, j'occupais le quatrième rang, derrière Jean Alesi et Michael Schumacher. À ce moment-là, mes chances de l'emporter étaient plutôt minces. Que pouvais-je faire, sinon continuer de donner tout ce que j'avais? Cette attitude s'est vite révélée payante.

Avant la course, j'avais dit aux gars de l'écurie que l'un des virages me faisait penser à l'ovale d'une piste Indy, dans laquelle on peut dépasser un concurrent par l'extérieur. Cette manœuvre se voyant rarement en Formule 1, les gars m'ont dit que si je tentais quelque chose d'aussi fou, il leur faudrait venir m'arracher de la glissière. C'est pourquoi, après avoir dépassé Michael, la première chose que je leur ai dite par radio a été: «Vous voyez, ça a marché!»

À l'approche du virage, au seizième tour, une voiture lente a forcé Michael à ralentir un peu. J'en ai profité pour me placer à sa hauteur, à l'extérieur, où il ne s'attendait pas à une attaque. L'élément de surprise était crucial. Michael m'a dit plus tard qu'il ne m'avait pas vu jusqu'au moment où nos roues se sont presque touchées. Moi, je n'avais pas remarqué cette extrême proximité, occupé que j'étais à terminer ma manœuvre.

Nos deux voitures étaient vraiment tout près l'une de l'autre; Michael s'est montré *fair-play* en me laissant tout juste assez d'espace pour que je me faufile à côté de lui. Je sais que Michael garde toujours la pleine maîtrise de son véhicule; je n'aurais sans doute jamais tenté une manœuvre si risquée avec un pilote de moins haut calibre que lui. Il m'a dit qu'il avait trouvé ce dépassement stimulant; il l'a certainement été pour moi. C'est cela l'essence de la course. Quand on réussit une seule manœuvre du genre au cours d'une compétition, on est heureux, quel que soit le rang obtenu à la ligne d'arrivée.

À ce stade de la course, il semblait impossible de rattraper Damon. Mais après mon deuxième arrêt au stand, l'écart entre lui et moi s'est peu à peu amenuisé. J'ai pu me rapprocher pas mal de lui, jusqu'à ce que, dans son sillage, la déportance de ma voiture soit réduite et que mes pneus décollent. J'ai alors commencé à glisser sur la piste.

Damon s'est arrêté une troisième fois au stand. On m'a ensuite signalé que je devrais moi aussi y faire un arrêt au tour suivant. J'ai poussé ma voiture à fond de train, profitant de l'absence de Damon durant le reste du tour. Même

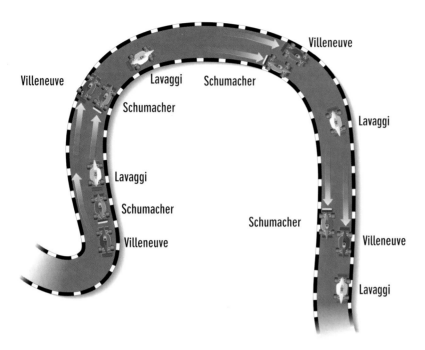

Villeneuve

Lavaggi Schumacher

Villeneuve

Schumacher

Lavaggi

Lavaggi

Schumacher

Schumacher

Villeneuve

Villeneuve

Lavaggi

Passage serré

Quand Michael a dû ralentir à cause de la voiture qui le précédait, j'ai pu me placer à sa hauteur. J'avais tout juste assez d'espace pour me faufiler. Un bref instant, nos roues se sont intercalées, à l'extérieur du virage. Les manœuvres de ce genre sont l'essence même de la course automobile.

dans la voie des stands, ma voiture était à la limite de l'adhérence; il a fallu que je bloque mes roues pour stopper ma voiture juste devant les mécaniciens. Ils ont fait preuve de bravoure en ne bougeant pas! Leur travail a été d'une rapidité foudroyante: huit secondes seulement pour faire le plein et remplacer les quatre roues. Une fraction de seconde de plus aurait tout changé car, à mon retour sur la piste, je me suis trouvé à quelques mètres devant Damon.

Comme Damon et moi occupions les deux premières positions, j'étais sûr d'obtenir les quatre points dont j'avais besoin. Toutefois, il me fallait à tout prix ne pas ralentir, afin de me ménager un coussin d'avance pour le moment où je me trouverais derrière des voitures plus lentes que la mienne. Tout s'est bien déroulé: la voiture a été parfaite et, même tard dans la course, j'ai pu obtenir le record du tour. Le sinueux circuit d'Estoril est très exigeant sur le plan physique. Mais, comme j'ai lutté presque aussi farouchement durant la course que durant les qualifications, l'euphorie l'emportait sur la fatigue. Monter au sommet du podium a été pour moi le couronnement d'une course extraordinaire.

La course suivante, au Japon, la dernière de la saison, serait aussi ma dernière chance de remporter le championnat du monde. Damon me devançait encore de neuf points, mais le gagnant de ce Grand Prix obtiendrait dix points. J'essaierais de remporter de nouveau la victoire, en laissant les autres pilotes se battre pour le reste des points.

C'est serré aussi!

La lutte que Damon et moi nous livrions pour le championnat était serrée elle aussi. L'affrontement final aurait lieu au dernier Grand Prix de la saison.

Le Grand Prix du Portugal – 22 septembre 1996

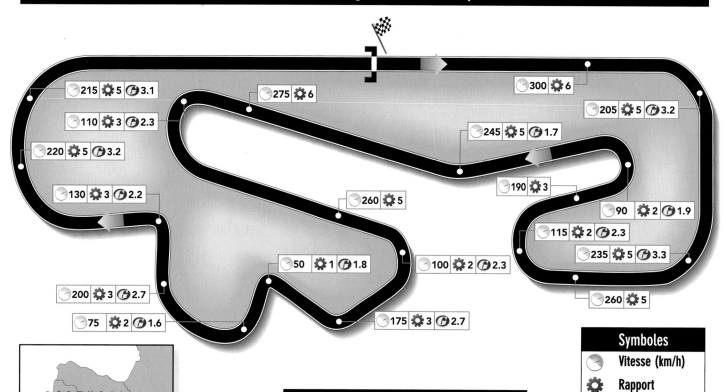

Symboles

🕐	Vitesse (km/h)
⚙	Rapport
Ⓖ	Force g

PORTUGAL
Estoril

Temps de qualification

RANG	PILOTE	ÉCURIE	TEMPS
1	HILL	Williams-Renault	1:20,330
2	VILLENEUVE	Williams-Renault	1:20,339
3	ALESI	Benetton-Renault	1:21,008
4	SCHUMACHER	Ferrari	1:21,236
5	BERGER	Benetton-Renault	1:21,293
6	IRVINE	Ferrari	1:21,362
7	HAKKINEN	McLaren-Mercedes	1:21,640
8	COULTHARD	McLaren-Mercedes	1:22,066
9	BARRICHELLO	Jordan-Peugeot	1:22,205
10	BRUNDLE	Jordan-Peugeot	1:22,324
11	FRENTZEN	Sauber-Ford	1:22,325
12	HERBERT	Sauber-Ford	1:22,655
13	SALO	Tyrrell-Yamaha	1:22,765
14	KATAYAMA	Tyrrell-Yamaha	1:23,013
15	PANIS	Ligier-Mugen-Honda	1:23,055
16	VERSTAPPEN	Arrows-Hart	1:23,531
17	ROSSET	Arrows-Hart	1:24,230
18	DINIZ	Ligier-Mugen-Honda	1:24,293
19	LAMY	Minardi-Ford	1:24,510
20	LAVAGGI	Minardi-Ford	1:25,612

Résultats de la course

RANG	PILOTE	TOURS	ÉCART	TEMPS
1	VILLENEUVE	70		1:40:22,915
2	HILL	70	19,966	1:40:42,881
3	SCHUMACHER	70	53,765	1:41:16,680
4	ALESI	70	55,109	1:41:18,024
5	IRVINE	70	1:27,389	1:41:50,304
6	BERGER	70	1:33,141	1:41:56,056
7	FRENTZEN	69	1 tour	
8	HERBERT	69	1 tour	
9	BRUNDLE	69	1 tour	
10	PANIS	69	1 tour	
11	SALO	69	1 tour	
12	KATAYAMA	68	2 tours	
13	COULTHARD	68	2 tours	
14	ROSSET	67	3 tours	
15	LAVAGGI	65	5 tours	
16	LAMY	65	5 tours	

Points des constructeurs

CONSTRUCTEUR	POINTS	CUMULATIF
Williams-Renault	16	165
Benetton-Renault	4	65
Ferrari	6	64
McLaren-Mercedes	0	45
Jordan-Peugeot	0	20
Ligier-Mugen-Honda	0	15
Sauber-Ford	0	10
Tyrrell-Yamaha	0	5
Arrows-Hart	0	1

Points des pilotes

PILOTE	POINTS	CUMULATIF
HILL	6	87
VILLENEUVE	10	78
SCHUMACHER	4	53
ALESI	3	47
HAKKINEN	0	27
BERGER	1	18
COULTHARD	0	18
BARRICHELLO	0	14
PANIS	0	13
IRVINE	2	11
FRENTZEN	0	6
BRUNDLE	0	6
SALO	0	5
HERBERT	0	4
DINIZ	0	2
VERSTAPPEN	0	1

Meilleurs temps

VITESSE DU GAGNANT:
Jacques Villeneuve   182,423 km/h

TOUR LE PLUS RAPIDE:
Damon Hill   1:22,873
189,398 km/h

Sur la piste

Un week-end de Grand Prix, la piste est ouverte aux pilotes pendant un maximum de six heures, y compris les deux heures de course du dimanche. Bien entendu, le pilote ne s'y trouve pas si longtemps car, le vendredi et le samedi, le règlement limite le nombre de tours.

Entraînement

Le vendredi, l'entraînement se fait en deux séances de soixante minutes, séparées par un intervalle d'une heure. La journée est en grande partie consacrée aux réglages de la voiture. Mais les nouveaux venus comme moi en profitent pour se familiariser avec la piste.

Je commence par faire un tour ou deux pour vérifier le fonctionnement de la voiture. Je vais ensuite au stand, où j'attends généralement une bonne demi-heure. Comme nous sommes limités à 30 tours durant les deux séances, nous ne souhaitons pas les gaspiller sur une piste qui n'est pas «mûre». Tous les pilotes mènent donc une politique d'attente, espérant que les autres monteront sur la piste, ce qui en nettoiera la surface et y laissera des plaques de caoutchouc qui en augmenteront l'adhérence. Si le nombre de tours n'était pas limité, les pilotes les multiplieraient. Finalement, durant la dernière demi-heure, tout le monde monte en piste. Je fais généralement une quinzaine de tours à chaque séance.

Les longues attentes peuvent faire du vendredi un jour plutôt ennuyeux. Une fois confortablement installé dans le cockpit, les harnais bouclés, je préfère y rester plutôt que d'attendre ailleurs. L'attente est longue. Parfois, durant les séances d'essais privées, j'ai de longs moments d'inactivité pendant que les mécaniciens remplacent ceci ou cela. Il m'arrive alors de faire un somme avant de recommencer à conduire. Mais durant un week-end de Grand Prix, il faut rester alerte et prêt à démarrer à tout instant.

Durant la pause d'une heure séparant les deux séances d'entraînement, je change de sous-vêtements, je bavarde avec Jock et je reste au garage jusqu'au moment de reprendre la piste. La circulation y est généralement plus dense durant la seconde heure d'entraînement, chacun s'affairant aux réglages. Pourtant, la plupart des écuries considèrent que l'action, la vraie, ne commence que le lendemain.

Le samedi, la routine d'entraînement est semblable à celle du vendredi, sauf qu'elle est composée de deux séances de quarante-cinq minutes séparées par une pause de trente minutes. La majeure partie de l'entraînement du samedi, surtout la deuxième, est consacrée aux réglages de qualification. Le nombre de tours est également limité à 30. Même si l'on ressent l'urgence de se préparer pour les qualifications, on reste conscient de la nécessité de ne pas gaspiller les tours.

Qualifications

Sur la plupart des circuits, la séance de qualification d'une heure est ce qu'il y a de plus important, mise à part la course proprement dite, étant donné la difficulté de dépasser les autres voitures durant la compétition. La tension est vive: le pilote est limité à 12 tours. Nous en faisons deux, trois ou quatre avec de nouveaux pneus. On ne peut tirer le maximum de chaque jeu de pneus que pendant environ deux tours. Le pilote doit donc pousser la voiture à fond de train à chaque tour, car il ne peut se permettre d'en gaspiller un seul. Cela signifie qu'il doit attendre le bon moment dans la voiture. Dans ce cas, Jock et moi communiquons par radio; nous surveillons la météo et l'état de la piste, et nous attendons une ouverture dans le peloton afin que je puisse monter sur la piste au moment le plus opportun.

Quand je cherche à réussir un tour très rapide, je me fais à moi-même un petit laïus d'encouragement, pour me rendre plus hardi. Cette hardiesse apparaît graduellement, juste avant le tour de chauffe, et dure jusqu'à la ligne d'arrivée. Durant le tour rapide, le pilote doit donner tout ce qu'il a en fait d'énergie et d'émotion; par conséquent, il a souvent l'impression de se démener autant que durant toute une course.

La tension est plus intense durant les qualifications que durant la course. Il faut y aller à fond de train: freiner plus tard, amorcer les virages à très haute vitesse, vraiment attaquer le circuit. L'objectif, c'est de rouler plus vite que jamais auparavant. Parfois, le pilote découvre de nouvelles limites, beaucoup plus élevées qu'il s'y était attendu. Cela m'est arrivé à Spa; le tour de piste qui m'a valu la pole position a été le fait saillant de ma saison. Mais le tour parfait est rare; même si on obtient une bonne position sur la grille, on a généralement l'impression qu'on aurait pu faire encore mieux durant les qualifications.

Puissance de départ

Dès le signal du départ, il faut démarrer aussi rapidement qu'il est humainement et mécaniquement possible de le faire. Le truc consiste à trouver en soi la hardiesse qui correspond parfaitement à la puissance du moteur.

L'échauffement

Le dimanche matin, durant la séance d'échauffement d'une demi-heure, on n'a le temps de faire que six ou sept tours valables, ce qui n'est pas suffisant pour mettre une nouveauté à l'épreuve. On a juste le temps de vérifier de nouveau les réglages de la voiture avec le réservoir plein de carburant. Normalement, il fait moins chaud durant cette séance que l'après-midi; il est donc difficile de savoir exactement quel sera le comportement de la voiture pendant la course.

La course

Un bon départ est capital, vu que le dépassement est difficile. L'issue de la course peut se décider au cours des premières secondes suivant le départ. J'ai beaucoup travaillé mes départs, parce que, en Formule 3, j'étais toujours trop excité: ou bien mon moteur calait, ou bien il tournait trop vite et mes roues patinaient. Depuis, je m'efforce de rester plus calme, de me relaxer et de ne penser qu'aux feux de départ.

Au signal de départ, il faut démarrer aussi rapidement qu'il est humainement et mécaniquement possible de le faire. Cela signifie que l'on doit déchaîner le plus de puissance possible tout en évitant de faire patiner les roues. Le départ peut être dangereux, car bien des pilotes ont l'habitude de louvoyer sur la piste. Ils prétendent souvent que c'est parce que leurs roues patinent qu'ils se mettent de travers; mais on peut se demander s'ils n'essaient pas tout simplement de bloquer le passage aux autres. Je crois que les pilotes devraient décrire une trajectoire droite, sauf s'ils dépassent les autres. Sur les premiers mètres, à cause de toutes ces voitures qui manœuvrent pour obtenir la position la plus avantageuse, la situation est risquée, surtout pour celui qui se trouve derrière le

peloton. Heureusement, je pars généralement de l'avant de la grille.

La circulation à l'entrée du premier virage est souvent très dense. Les problèmes surgissent quand les pilotes essaient de freiner le plus tard possible ou convoitent la même partie de la piste. Si vous êtes seul devant le peloton, vous avez la tâche plus facile. Mais si vous êtes entouré de voitures, qui roulent à quelques millimètres de la vôtre, il est difficile d'éviter les ennuis. La prévention des collisions fait partie du travail du pilote, et chacun espère que les autres l'ont eux aussi à cœur.

Une fois la vitesse de croisière atteinte, l'une des tâches les plus importantes du pilote consiste à la réduire en freinant exactement là où il le faut. Il y arrive en tenant compte de points de référence, dont les panneaux repères. À certains endroits, des panneaux repères indiquent la distance qu'il reste à parcourir avant le virage. Les affiches publicitaires, les marques sur la bordure de la piste, voire des traces de dérapage peuvent aussi servir de repères. Bien entendu, il ne faut jamais utiliser un point de référence mobile – comme un commissaire de piste ou un signaleur –, au cas où il changerait de place d'un tour à l'autre!

Parfois, en l'absence de repères, le pilote se fondera sur son expérience pour déterminer l'endroit où il devrait freiner. Cette méthode est moins précise que le recours aux panneaux repères. Mais quand on connaît bien un circuit, on peut sentir le moment où l'on a accéléré assez longtemps et où il faut commencer à freiner. C'est la technique que j'ai utilisée pour la section Eau Rouge du circuit de Spa, où tout se passe à une vitesse folle.

Un freinage efficace est essentiel lorsque l'on dépasse une voiture à l'entrée d'un virage. Fondamentalement, la stratégie consiste alors à freiner plus tard que son rival. On peut aussi le dépasser en accélérant plus que lui au sortir du virage, ou encore en profitant du sillage de la voiture que l'on suit dans un droit.

Puissance de freinage

La puissance permettant d'atteindre une vitesse élevée doit nécessairement s'accompagner d'une bonne puissance de freinage. À haute vitesse, quand le pilote freine lourdement, la température des freins peut atteindre 1000 °C.

Cependant, en Formule 1, cette dernière méthode de dépassement est difficile, car le sillage réduit la déportance, ce qui rend la voiture moins maniable.

Pour réussir à dépasser une voiture, il faut faire preuve de décision et saisir sa chance dès qu'elle se présente. On peut aussi planifier le dépassement, mais cela devient de plus en plus difficile à mesure que l'on reste derrière une voiture, car on s'habitue à la suivre. Si vous attendez trop longtemps, le pilote que vous suivez devine vos intentions. Dès lors, vous ne jouissez plus de l'avantage de la surprise.

Pour réussir un dépassement, vous devez avoir confiance en votre propre jugement et aussi en celui de l'autre pilote.

Avec l'expérience, on sait à quoi s'attendre de certains pilotes. Même quand vous dépassez des pilotes beaucoup plus lents, vous devez vous méfier de leurs réactions, comme je l'ai appris à mes dépens quelques fois durant la saison. Tandis que certains pilotes s'énervent et commettent des erreurs dans une situation serrée, d'autres, comme Michael Schumacher, savent exactement ce qu'ils font. C'est pourquoi je n'ai pas hésité un instant à essayer de le doubler. Quand j'y suis parvenu, comme cela a été le cas au Portugal, j'en ai tiré une satisfaction indicible, du fait qu'il est un pilote hors pair.

Manœuvres de dépassement

Pour réussir à dépasser une voiture, il faut faire preuve de décision et saisir sa chance dès qu'elle se présente. Le pilote doit avoir confiance en son propre jugement et en celui de son rival. Il ne peut faire confiance à tous les autres pilotes.

Vu que les dépassements sont difficiles, les arrêts au stand constituent souvent le meilleur moyen d'améliorer sa position sur la piste. C'est ce qui m'est arrivé au Portugal, où un arrêt bien planifié m'a aidé à remporter la victoire. Quand vient le temps de faire un arrêt, l'équipe m'en informe par radio et au moyen d'un panneau. Mais les arrêts sont généralement planifiés et j'y suis préparé.

Quand on fait un arrêt au stand, il faut y arriver le plus vite possible, tout en veillant à ne pas dépasser la limite de vitesse permise dans la voie des stands. Il faut freiner le plus tard possible et s'arrêter exactement sur la marque. Toute une équipe travaille sur la voiture durant l'arrêt; ce sont quelques secondes de tension intense. Le pilote doit rester alerte, pour repartir le plus vite possible. On garde la voiture au neutre jusqu'à ce que les nouvelles roues soient installées et que le plein soit terminé, puis, au signal, on démarre en trombe.

De retour sur la piste, il faut affronter les virages rapides comme les lents. Dans un virage rapide, on essaie de garder la voiture aussi stable que possible, en évitant les changements abrupts

La compétition

La compétition est pour moi une nourriture. Je l'aime et j'en ai besoin. Non seulement j'ai besoin de la compétition, mais j'ai aussi besoin de la victoire ou, du moins, de croire que j'ai une chance de la remporter. Personne n'aime la défaite, surtout quand il est possible de la prévenir.

dans la position du châssis. Si l'on freine trop fort, la voiture risque de se mettre de travers. Tous les gestes doivent se faire en douceur, afin que le pilote sente exactement les réactions de sa voiture. Quand les réglages sont bons, il suffit de relâcher l'accélérateur, de freiner doucement, puis d'accélérer progressivement.

Franchir rapidement un virage de cette façon constitue l'un des plus grands plaisirs de la course. Mais si la maniabilité de la voiture laisse à désirer, le pilote doit compenser le défaut. Généralement, il ne faut pas «pomper» l'accélérateur ou le frein dans un virage rapide; toutefois, il arrive qu'il faille le faire pour compenser un défaut de réglage. Dans ce cas, on donne de petits coups sur le frein ou un bon coup sur l'accélérateur, pour transférer plus ou moins de poids sur les roues avant ou arrière de la voiture.

Les virages lents, les épingles et la plupart des chicanes requièrent des mouvements plus abrupts de la part du pilote; je les trouve beaucoup moins intéressants que les virages rapides. Ils vous forcent à briser la fluidité de votre rythme et, du fait qu'ils sont plus lents et plus ennuyeux, ils vous privent du plaisir que vous avez à aller à la limite de vos capacités. Si vous dépassez par inadvertance cette limite dans un virage lent, tout ce que vous risquez, c'est un petit dérapage. Les sensations fortes qu'éprouve le pilote qui attaque à fond de train un virage rapide sont en grande partie dues au risque que court celui-ci; les virages lents ne font tout simplement pas couler l'adrénaline du coureur.

Le Grand Prix du Japon

 Suzuka, Japon

Ma première saison de Formule 1 s'est terminée dans une fosse de sable, ma voiture ayant perdu une roue. Mais je n'ai pas cédé au désespoir car, tout compte fait, l'année avait été bonne. Il n'y avait rien à perdre dans cette course, mais seulement une chose à gagner: le championnat. Même si mon coéquipier Damon Hill l'a remporté, il me reste à savourer toutes mes réussites de la saison.

Après ma victoire au Portugal, la vie a repris son cours et nous avons effectué sur le circuit d'Estoril des essais qui nous ont été utiles. Je suis ensuite allé rendre visite à Sandrine, au Canada. C'était là un moyen agréable de me détendre en prévision de ce qui serait pour moi la course la plus importante de la saison, du moins du point de vue du championnat. Si je gagnais ce Grand Prix et que Damon ne remportait aucun point, le championnat du monde serait mien. J'avais une mince chance de gagner; mais comme toutes les possibilités jouaient en faveur de Damon, j'avais la conviction qu'il subissait plus de pression que moi, parce que ce serait un revirement incroyable s'il se faisait battre par celui que l'on donnait comme perdant.

Supercircuit

Suzuka est l'un des grands circuits du monde. Celui qui y fait un tour de piste à plein régime, en poussant constamment à leur limite ses capacités et celles de sa voiture, éprouve en tant que pilote un sentiment de réalisation indicible.

Étant donné l'épreuve de force qui allait déterminer le champion du monde, les médias nous ont accordé plus d'attention que jamais à notre arrivée au Japon. On m'a demandé à quel point je serais déçu si Damon me battait et remportait le championnat. J'ai répondu que je serais d'autant plus déçu que nous étions tout près l'un de l'autre au classement. Le championnat dépendait de cette dernière course, mais tout ce qui s'était passé dans les 15 courses précédentes avait contribué à créer la situation dans laquelle nous nous trouvions. Damon et moi avions tous deux fait de bonnes et de moins bonnes choses du point de vue du championnat. Cette constatation s'applique à tout coureur. Si l'on réfléchit aux courses passées, on se dit que, si c'était à refaire, on changerait bien des choses. J'ai expliqué aux journalistes que, dans l'ensemble, j'étais heureux d'avoir encore une chance de remporter le championnat et que, quoi qu'il arrive dans ce Grand Prix final, je resterais satisfait de mon année.

Toute la saison, certains journalistes s'étaient acharnés à découvrir des indices d'inimitié entre Damon et moi. La compétition atteignant son point culminant, ils étaient convaincus que nous devions nous détester cordialement. Des journalistes m'ont demandé de quels moyens j'userais pour que Damon ressente encore plus de tension durant la course.

Ceux-là ont dû être déçus de m'entendre dire que je suis contre ce genre de comportement, que je refuse d'exercer une pression supplémentaire sur mes rivaux en me livrant à de petits jeux psychologiques avec eux. Ce serait manquer de *fair-play*. La compétition doit se limiter à la piste, et elle doit rester propre. En ce qui concerne ma relation avec Damon, si elle avait changé en quelque chose, c'est qu'elle s'était améliorée au fil des mois. Même au Japon, où tout était dans la balance, nous avons ri ensemble plus que jamais auparavant. Il n'y a jamais eu de problèmes entre nous. Nous nous sommes livré de dures batailles au volant, et en avons ri aux larmes en dehors de la piste.

Nul besoin de haïr ses rivaux pour lutter farouchement contre eux dans une course. En fait, une telle attitude, en plus

Pole position

Après avoir éclipsé Damon et Michael aux qualifications, je n'ai malheureusement pas eu l'occasion de beaucoup les voir durant la course. Mais nous avons fini par nous rencontrer plus tard dans la soirée.

≪C'est un type formidable. Il accorde beaucoup d'importance à la relation entre le pilote et l'ingénieur de course. Il y a une dichotomie évidente dans sa personnalité. En tant que coureur, Jacques manifeste beaucoup de maturité et connaît tous les trucs du métier. Mais quand vient le temps de s'amuser, de rire et de mordre dans la vie à pleines dents, il montre qu'il a gardé une mentalité d'écolier.≫

JOCK CLEAR
(*ingénieur de course Williams*)

d'être un gaspillage d'énergie, risque d'être dangereuse. Pour ce qui est d'exécuter des manœuvres à l'encontre de Damon, par exemple essayer de le faire sortir de la piste, je dois dire que je n'en tirerais aucune satisfaction. Même quand on veut la victoire à tout prix, après la course il faut se regarder dans la glace. Il n'y a aucune gloire à gagner avec des coups bas.

On m'a aussi demandé si je croyais que Damon méritait de gagner. Bien sûr qu'il le méritait. Il avait bûché pendant des années pour arriver à ce stade de sa carrière; c'est à force de travail que l'on réussit. Pour cette même raison, je croyais mériter moi aussi de gagner. Mais si je ne gagnais pas, mon assurance n'en serait pas entamée pour autant, parce que la grande récompense – le championnat du monde – finirait bien par m'échoir un jour.

Les journalistes voulaient savoir si c'était la course la plus importante de ma carrière que je m'apprêtais à disputer. Oui, il y avait beaucoup en jeu, mais tout ce que je pouvais faire, c'était de donner le meilleur de moi-même; le reste dépendait de Damon.

Compte à rebours

Pendant que je revêtais ma tenue de course, j'en ai profité pour me mettre dans l'état d'esprit du coureur. Ma mission était simple: gagner la course. Le reste dépendait de Damon.

Si j'avais à parier sur l'issue de la course, est-ce que je parierais sur moi? J'ai répondu que c'était évident, puisque je croyais en moi. Chaque coureur doit croire en lui-même dans chaque course. Cette foi est plus importante que jamais quand les enjeux sont élevés.

Enfin, les médias voulaient savoir comment je réagirais si je ne remportais pas le championnat. C'était là une question à laquelle il était difficile de répondre, parce qu'elle exigeait que je pense négativement, ce que j'évite le plus possible. Tout ce que je pouvais dire, c'était que, championnat ou pas, nous ferions la fête le dimanche soir. La fête n'en serait que plus joyeuse pour moi si je gagnais. Mais, si je perdais, la gueule de bois m'aiderait le lendemain à oublier la douleur de la défaite!

J'étais content que notre épreuve de force se déroule sur le circuit Suzuka, que je connaissais bien pour y avoir couru en Formule 3 en 1992. Je me souvenais avec bonheur de cette année-là; j'ai été ravi de renouer avec d'anciennes relations et de m'y rendre de nouveau. Suzuka est l'un des rares circuits sur route authentique qui restent; j'avais hâte de le parcourir en Formule 1. Dès le début du week-end, la piste s'est révélée à la hauteur de mes attentes. Même s'il a plu durant la majeure partie de l'entraînement, ma voiture m'a paru très solide.

Le circuit Suzuka est particulièrement apprécié du pilote en raison de sa série de virages à vitesse moyenne et à vitesse élevée, qui sont ordonnés de manière fluide, pour que le pilote puisse atteindre une bonne cadence. Celle-ci

est toutefois quelque peu compromise par une chicane ridicule. Mais elle ajoute à la complexité du tour et, quand tout va bien – que les réglages de la voiture sont parfaits et que le coureur pilote de façon optimale –, Suzuka donne au pilote un extraordinaire sentiment d'accomplissement, un peu comme c'est le cas à Spa. Quand vous attaquez le tour avec vigueur, que vous donnez tout ce que vous avez sur les six kilomètres du parcours, en restant d'un bout à l'autre à la limite de vos capacités et de celles de votre voiture, vous avez l'impression d'être un pilote accompli.

C'est certes l'impression que j'ai eue aux qualifications. Si j'ai eu la pole position, c'est en partie parce que j'ai pu prendre à fond de train, à plus de 300 km/h, l'un des virages les plus difficiles du circuit, le 130-R. Mais ce n'était là qu'une bataille de gagnée. La bataille suivante, la vraie, se livrerait durant la course du dimanche après-midi.

Le dimanche matin, j'ai mis plus de temps qu'à l'accoutumée pour me préparer à la bataille. J'ai longuement réfléchi à ce que je devais faire, tandis que, pour la dernière fois de la saison, je revêtais ma tenue de course.

Je commence par mettre les verres de contact que je porte pour piloter. Dans la vie de tous les jours je porte des lunettes, mais les lentilles cornéennes sont plus stables et ne s'embuent pas sous mon casque. Je me mets aussi des bouchons dans les oreilles, bien que je sois d'avis qu'ils n'empêchent pas le

Chance perdue

J'ai connu mon pire départ de la saison au Grand Prix qui était le plus important pour moi. Quand j'ai fini par me tirer d'embarras, Damon était déjà loin devant moi. Le record du tour a été mon prix de consolation.

(voir pages suivantes)

Le jeu est fini

J'ai compris que quelque chose n'allait pas quand j'ai vu la roue arrière droite de ma voiture me dépasser à environ 250 km/h! Mon tricycle est ensuite sorti de piste, pour échouer dans une fosse de sable. Ma saison venait de prendre fin.

bruit du moteur de la Formule 1 d'endommager l'ouïe. Si j'oublie mes bouchons quand je vais dans une discothèque où la musique est forte, je me fourre des kleenex dans les oreilles. Même si les gens peuvent trouver que j'ai l'air idiot, je tiens à me protéger l'ouïe.

Je tiens aussi à me protéger la tête durant la course. Je consacre donc beaucoup de temps à l'entretien de mon casque. Au Japon, c'était sans doute le douzième casque que je portais depuis le début de la saison. Il faut les remplacer souvent, parce que la mousse qui en tapisse l'intérieur gonfle à cause de la transpiration. En outre, après un accident, il faut jeter le casque au cas où il aurait été endommagé. Durant la course, il faut changer cinq ou six fois la bande de plastique qui recouvre la visière-écran, car elle se salit vite d'huile et de poussière. Quand le casque devient trop sale ou trop piqué par l'huile ou par les projectiles, il faut le jeter, car des couches de peinture supplémentaires l'alourdiraient inutilement.

Un beau jour pour Damon

Ma sortie de piste n'a certes pas nui à Damon. Il a mené une course parfaite et mérité de la gagner. Damon a connu une saison formidable et est un champion du monde digne de ce nom.

Sous le casque, je garde loin du nez et de la bouche la cagoule en tissu ignifugé. La plupart des coureurs en portent une qui n'est trouée que pour les yeux. Je ne sais pas comment ils peuvent l'endurer. Moi, je préfère recevoir tout l'air frais que je peux. Je porte aussi des sous-vêtements résistants au feu, dont un pull à col roulé au lieu du simple t-shirt habituel. Je ne porte les chaussettes qu'une seule fois, car des chaussettes dans lesquelles on a transpiré brûleraient plus vite dans un incendie. Avant de monter dans ma voiture,

j'enlève montre et bijoux, car le métal devient vite plus chaud dans un incendie et cause des brûlures; en outre, cela m'enlève du poids, fût-ce quelques grammes, ce qui n'est pas à dédaigner compte tenu du poids élevé de la combinaison.

Quand je suis dans la voiture, le port des logos des commanditaires sur les bras peut être désagréable, car ils sont durs et gênent mes mouvements. Dans le cockpit, la moindre saillie dans les vêtements peut être agaçante. Je porte des vêtements très amples, sans poches ni ceinture. Je me moque pas mal d'avoir l'air d'un sac de pommes de terre, pourvu que je me sente à l'aise dans mon baquet. Une fois mes bottines chaussées et mes gants enfilés, je suis prêt pour le Grand Prix.

Conversation de consolation

Damon étant en route vers le championnat du monde, Sandrine, au Canada, m'a tenu compagnie au téléphone. Elle m'a dit que je n'avais qu'à penser à remporter le championnat l'année prochaine.

Comme Damon se trouvait en deuxième position sur la grille, la lutte finale entre les rivaux pour le championnat du monde se livrerait au premier rang du peloton. Cela ajoutait du piquant au spectacle et accentuait l'importance d'un bon départ pour chaque coureur. Malheureusement, j'ai connu mon pire départ de la saison lors de la course la plus déterminante pour moi.

Au signal, je n'ai pas fait tourner le moteur suffisamment vite, et son régime a baissé. Pour compenser, j'ai trop appuyé sur l'accélérateur, et mes roues ont patiné. La voiture a dérapé. Quand j'ai eu réglé cette difficulté, cinq pilotes avaient déjà eu le temps de me dépasser, dont Damon qui, après un départ parfait, menait le peloton.

Même si c'était là un coup dur pour mes chances de remporter le championnat, je n'ai pas changé d'objectif. Je n'avais pas le choix; il me fallait faire tout mon possible pour gagner la course, en espérant que Damon ne remporterait pas un seul point. C'était ce que je souhaitais. Mais, en réalité, j'avais mis de côté toute pensée sur le championnat et rassemblé toutes mes forces afin de conduire hardiment, tout comme aux qualifications.

Tant que cela a duré, j'ai pris beaucoup de plaisir à la course, surtout parce que j'arrivais à dépasser les autres. J'étais ravi de le faire et d'ainsi confirmer, une fois de plus, que le dépassement est possible en Formule 1 quand on ne ménage pas ses efforts. Bien entendu, il faut une bonne voiture pour le faire; jusque-là, la mienne était parfaite. Mes tours étaient plus rapides que ceux de tous les autres pilotes; j'ai même réussi le record du tour. Mais, peu de temps après, le Grand Prix du Japon était fini pour moi.

Juste avant mon deuxième arrêt au stand, l'arrière de ma voiture a commencé à se comporter bizarrement, comme si l'un des pneus était crevé. Au moment où j'ai freiné pour me diriger dans la voie des stands, ma voiture a eu un sursaut alarmant, et j'ai dû faire un autre tour avant de m'arrêter pour le

Survivants déplumés

J'ai convaincu Mika Salo et David Coulthard qu'en se rasant la tête ils courraient plus vite. Ensuite, nous sommes allés chanter pour célébrer la fin de la saison.

plein et le remplacement des roues. Après l'arrêt au stand, tout est rentré dans l'ordre, mais ce sentiment de sécurité n'a duré que quelques tours.

Soudain, au beau milieu du premier virage, ma roue avant gauche a décollé du sol; j'ai immédiatement compris que quelque chose clochait à l'arrière de ma voiture, du côté droit. Mes craintes ont été confirmées, quand j'ai vu ma roue droite arrière me dépasser à environ 250 km/h!

Ma voiture a dérapé et a glissé en ligne droite hors du circuit, avant de s'arrêter dans une fosse de sable. Mais la roue folle a continué de rouler. Heureusement, les barrières l'ont empêché d'arriver dans la foule des spectateurs. Nous avons découvert plus tard que la roue s'était détachée à cause de la défaillance d'une goupille retenant l'écrou de roue. Inutile de blâmer qui que ce soit. C'était un incident de course comme il s'en produit occasionnellement.

Durant la longue marche de retour vers le stand, les applaudissements nourris de la foule ont adouci ma déception de voir la course – et la saison – se terminer sur une note négative. Mais j'avais au moins fait bonne figure, en luttant farouchement depuis mon premier tour, en Australie, jusqu'à mon dernier, au Japon.

À la fin de la course, j'ai rejoint le reste de l'équipe le long du mur du stand, et nous avons acclamé Damon. Il a mené une course parfaite et a mérité de gagner. J'étais heureux pour lui. Par-dessus tout, il avait connu une saison formidable et méritait d'être le champion du monde. Il avait été pour moi un excellent coéquipier, et nous étions tous deux reconnaissants de faire partie d'une telle écurie. Tous les membres de l'équipe Williams ont contribué à mes succès; je suis ravi d'avoir pu les remercier en faisant bonne figure sur la piste. J'étais particulièrement reconnaissant envers tous ceux qui ont travaillé sur ma voiture, et envers Jock Clear, mon ingénieur de course.

En fait, après la course, j'éprouvais une telle reconnaissance envers Jock que je l'ai aidé à alléger son supplice, supplice qu'il endurait à cause du pari qu'il avait perdu contre moi durant la saison et qui l'avait obligé à se raser le crâne au Japon. Le pauvre Jock avait l'air si ridicule ainsi déplumé que je me suis rasé la tête pour lui témoigner ma sympathie. Comme un malheur ne vient jamais seul, j'ai persuadé David Coulthard et Mika Salo qu'ils conduiraient peut-être plus vite la tête rasée!

Nous sommes tous allés à une grande fête, où tout le monde a chanté et s'est amusé, dont le quatuor de chauves. Même Damon et Michael Schumacher (troisième au championnat) se sont joints à nous. Perdants ou gagnants, nous avions tous quelque chose à célébrer. Dans mon cas, c'était un dénouement des plus satisfaisants à ma première saison en Formule 1.

Le Grand Prix du Japon – 13 octobre 1996

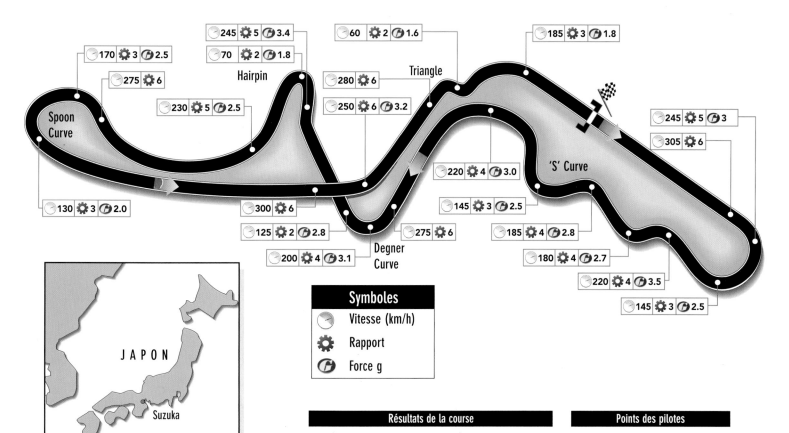

Spoon Curve

Hairpin

Triangle

Degner Curve

'S' Curve

Symboles	
🌐	Vitesse (km/h)
⚙	Rapport
Ⓖ	Force g

JAPON

Suzuka

Temps de qualification

RANG	PILOTE	ÉCURIE	TEMPS
1	VILLENEUVE	Williams-Renault	1:38,909
2	HILL	Wiliams-Renault	1:39,370
3	SCHUMACHER	Ferrari	1:40,071
4	BERGER	Benetton-Renault	1:40,364
5	HAKKINEN	Benetton-Renault	1:40,458
6	IRVINE	Ferrari	1:41,005
7	FRENTZEN	Sauber-Ford	1:41,277
8	COULTHARD	McLaren-Mercedes	1:41,384
9	ALESI	Benetton-Renault	1:41,562
10	BRUNDLE	Jordan-Peugeot	1:41,660
11	BARRICHELLO	Jordan-Peugeot	1:41,919
12	PANIS	Ligier-Mugen-Honda	1:42,206
13	HERBERT	Sauber-Ford	1:42,658
14	KATAYAMA	Minardi-Ford	1:42,711
15	SALO	Tyrrell-Yamaha	1:42,840
16	DINIZ	Ligier-Mugen-Honda	1:43,196
17	VERSTAPPEN	Footwork-Hart	1:43,386
18	LAMY	Minardi-Ford	1:44,874
19	ROSSET	Footwork-Hart	1:45,412

Résultats de la course

RANG	PILOTE	TOURS	ÉCART	TEMPS
1	HILL	52		1:32:33,791
2	SCHUMACHER	52	1,883	1:32:35,674
3	HAKKINEN	52	3,212	1:32:37,003
4	BERGER	52	26,526	1:33:00,317
5	BRUNDLE	52	1:07,120	1:33:40,911
6	FRENTZEN	52	1:21,186	1:33:54,977
7	PANIS	52	1:24,510	1:33:58,301
8	COULTHARD	52	1:25,233	1:33:59,024
9	BARRICHELLO	52	1:41,065	1:34:14,856
10	HERBERT	52	1:41,799	1:34:15,590
11	VERSTAPPEN	51	1 tour	
12	LAMY	50	2 tours	
13	ROSSET	50	2 tours	

Points des constructeurs

CONSTRUCTEUR	POINTS	CUMULATIF
Williams-Renault	10	175
Ferrari	6	70
Benetton-Renault	3	68
McLaren-Mercedes	4	49
Jordan-Peugeot	2	22
Ligier-Mugen-Honda	0	15
Sauber-Ford	1	11
Tyrrell-Yamaha	0	5
Footwork-Hart	0	1

Points des pilotes

PILOTE	POINTS	CUMULATIF
HILL	10	97
VILLENEUVE	0	78
SCHUMACHER	6	59
ALESI	0	47
HAKKINEN	4	31
BERGER	3	21
COULTHARD	0	18
BARRICHELLO	0	14
PANIS	0	13
IRVINE	0	11
BRUNDLE	2	8
FRENTZEN	1	7
SALO	0	5
HERBERT	0	4
DINIZ	0	2
VERSTAPPEN	0	1

Meilleurs temps

VITESSE DU GAGNANT:

Damon Hill   197,520 km/h

TOUR LE PLUS RAPIDE:

Jacques Villeneuve   1:44,043
202,900 km/h

« Jacques nous a étonnés cette année. Qui aurait cru en mars dernier qu'un nouveau venu en Formule I serait en position de lutter pour le championnat du monde après seulement huit mois? Il a donné un rendement remarquable durant sa première saison. Le meilleur est à venir, car il lui reste beaucoup d'autres saisons en Formule I. »

PATRICK FAURE
(président de Renault Sport)

« Je crois que Damon était un peu plus rapide que Jacques au début, mais ce dernier a gagné en solidité au fil des courses. Jacques a amélioré sa conduite. Au milieu de la saison, il était dans une mauvaise passe. Il est mentalement très fort, très sûr de lui et très hardi. C'est un dur, un bon coureur, et il a une Williams à sa disposition. »

EDDIE IRVINE
(pilote de Ferrari)

« Avec Jacques, nous avons fait un pari, et nous avons gagné. J'aime bien voir exploiter le plein potentiel de notre voiture; c'est certainement ce que fait Jacques. »

PATRICK HEAD
(directeur technique de Williams)

Dans le rétroviseur...

Quand je revois en pensée ma première saison en Formule 1, mes souvenirs sont plutôt positifs. Même si je me doutais un peu de ce que serait pour moi cette expérience, je n'ai pas essayé d'en prévoir les résultats, car je sais bien que les événements ne se déroulent pas toujours comme on le souhaite. Grâce à une écurie de première classe et à une voiture formidable, j'ai toujours pu briguer la victoire ou, du moins, une place sur le podium. À cet égard, il me serait impossible de trouver quelque chose de négatif à dire.

Au début, c'était dur pour moi parce que j'avais beaucoup à apprendre. Le Grand Prix d'Australie a été un peu plus facile, du fait que la piste était nouvelle pour tout le monde. Mais, pour la plupart des autres courses, j'ai dû me familiariser avec le circuit en plus d'apprendre à conduire une Formule 1. Tous ces efforts pour rattraper les autres ont été difficiles et parfois décourageants. Mais j'ai fini par m'orienter; la voiture a été améliorée; et nos progrès ont été assez constants.

J'ai été quelque peu déçu de constater que tant de circuits ont été modernisés et privés du caractère et des difficultés qui plaisent tant aux pilotes. Il est bon que les circuits ne se ressemblent pas tous, mais quand on court sur des circuits extraordinaires comme ceux de Spa et de Suzuka, on se rend compte de ce qui manque aux autres.

La saison a semblé se dérouler lentement, à cause de tous les efforts que j'y ai consacrés. Les courses se sont succédé assez rapidement, mais les essais et le travail de relations publiques ayant lieu entre les courses ne m'ont pas laissé de temps pour la réflexion. Comme je n'ai eu que de rares et brèves périodes de repos, la saison a été pour moi huit mois de travail ardu. À la fin, c'était fatigant sur le plan physique comme sur le plan mental.

J'ai dû supporter beaucoup de pression durant cette première saison, non pas de la part des autres mais plutôt de la mienne, car mes attentes étaient beaucoup plus élevées que les leurs. Je voulais à tout prix donner à chaque instant mon meilleur rendement et continuer de m'améliorer. À ce point de vue, je suis satisfait de ce que j'ai accompli: j'ai gagné une course sur quatre, je suis parti du premier rang de la grille une fois sur deux, et j'ai marqué des points dans 11 des 16 courses de la saison. Chaque fois que j'ai marqué des points, j'ai eu mon moment de gloire sur le podium. Le fait que la seconde moitié de ma saison ait été meilleure que la première montre bien que j'ai fait des progrès. Même les erreurs commises sur la piste, par moi ou par d'autres, n'ont pas été vaines car l'enseignement que j'en ai tiré me servira plus tard.

Les meilleurs moments qui me reviennent à l'esprit, ce sont mes départs en pole position, en Australie, en Belgique et au Japon. Ce sont les trois meilleurs circuits du monde, ce qui explique peut-

En rétrospective

On dit que dans le sport automobile les hauts sont plus hauts et les bas plus bas que dans n'importe quel autre sport. Une chose est sûre: durant ma première saison en Formule 1, j'ai vécu plus de hauts que de bas.

Globe-trotter

De mars à octobre, avec 16 courses dans 14 pays, j'ai surtout vécu à l'hôtel.

À la fin, c'était fatigant, sur le plan mental comme sur le plan physique.

être pourquoi j'y ai obtenu de bons résultats. Bien entendu, toutes mes victoires ont été agréables, surtout celle du Portugal, non seulement parce qu'elle était essentielle si je voulais garder une chance de remporter le championnat, mais aussi parce que je l'ai remportée en dépassant les autres et en courant avec hardiesse.

Parmi mes meilleurs souvenirs, je revois les luttes serrées que j'ai livrées aux autres pilotes, surtout à Damon et à Michael Schumacher. Chaque fois que j'ai pu les doubler, eux et les autres, cela a été pour moi le fait saillant de la course. Quand je pense que je n'ai jamais cessé de lutter dans aucune des courses, je me sens profondément satisfait.

Je préférerais oublier les mauvais moments: ma défaite en Australie, après avoir frôlé la victoire; mon erreur stupide sur la piste mouillée au Brésil; la frustration de Monaco; la douleur au cou que m'a causée un accident en France; ma deuxième position au Grand Prix de mon pays natal; l'erreur encore plus stupide que j'ai commise en Italie, où

j'aurais pu réduire l'écart qui me séparait de Damon. Ce sont mes erreurs qui me chagrinent le plus, car si je ne les avais pas commises, j'aurais eu une bonne chance de remporter le championnat. La saison passée, en IndyCar, je n'ai jamais perdu un seul point à cause d'une erreur de ma part. Mais je ne cherche pas d'excuses, et je ne pleure pas sur les occasions manquées.

Le mauvais souvenir qu'a été la perte de la course au championnat au dernier Grand Prix s'est vite transformé en simple déception. Cette défaite m'a été plus facile à accepter du fait que Damon a été pour moi un rival si solide durant toute la saison. Me trouver deuxième au classement, derrière un coureur de la stature de Damon Hill, ce n'est pas si mal.

Je dois une grande part de mes succès à l'écurie Rothmans-Williams-Renault. La voiture qui roule sur la piste n'est que le résultat visible d'un effort collectif invisible pour les spectateurs. La saison prochaine, nous aurons tous une année d'expérience de plus, et nous nous serons sûrement améliorés. Mes objectifs resteront les mêmes: gagner le plus de courses possible et remporter le championnat du monde. Nos chances de les atteindre seront encore plus grandes.

«Jacques a eu une saison remarquable. En tant que nouveau venu, il avait beaucoup de pain sur la planche, et il s'est acquitté de sa tâche avec brio. Se trouver toute la saison parmi les premiers concurrents du championnat est un honneur qui en dit long. Bravo Jacques!»

FRANK WILLIAMS
(propriétaire de l'écurie Williams)

«À la fin de la saison, Jacques est devenu un rival de taille. Mais j'étais déterminé à rester en tête du classement et à remporter le championnat. Lui, au second rang, pouvait se permettre de prendre plus de risques que moi. Je suis le premier à reconnaître que la chance aurait pu faire que Jacques devienne le champion du monde. Quand il s'est joint à mon écurie, je ne savais trop que penser de lui. Mais j'en suis vite venu à la conclusion qu'il est un pilote de très haut calibre. J'ai apprécié la compagnie de Jacques; jamais nous n'avons eu de mots durs l'un envers l'autre. Je suis persuadé qu'il sera un jour champion du monde. Je lui souhaite de tout mon cœur.»

DAMON HILL
(champion du monde, 1996)

Gerald Donaldson et Jacques Villeneuve

REMERCIEMENTS

L'éditeur remercie:
Rothmans Racing Limited
Belinda Olins et Fiona McWhirter, de FJ Associates
Marie-Claude Libault, de Rothmans, pour la recherche de photos
Tyrrell Yamaha et Avenue Communications, pour les diagrammes et références des circuits
Kim Jarvis, de ICN Promocourse, pour les résultats des courses
(Résultats des courses © 1996 Fédération internationale de l'automobile,
8, place de la Concorde, Paris, 75008, France)
Formula One Constructors Association, pour l'autorisation de reproduire les résultats des courses
Arthur Brown, Peter Cooling et Alistair Plumb, de Cooling Brown
Philippe Laguë pour la révision technique de la traduction française.

Artistes
Greg White et Russell Lewis

Photos
Agence DPPI: Gilles Levent 94, 100/101, 108, 122/123, 132, 161, 170/171, 178, 192; Sébastien Desnoulez
120/121, 137, 146/147, 161; François Flamand 95, 99, 125; Éric Yargiolu 98, 114, 142.
EMPICS: Steve Etherington 10, 11, 12, 13, 20/21, 25 bas, 26/27, 30, 64/65, 96/97, 104/105, 112/113, 119,
124, 126/127, 128/129 fond, 130, 131, 140, 143, 144, 148, 169, 174/175, 176, 177, 180, 182/183, 186/187,
191, 202, 210, 212/213, 214; John Marsh 23 fond, 38, 66, 92/93, 102, 129 médaillon, 136, 138/139, 141,
149, 155, 184, 193 bas, 198/199; Claire Macintosh 46, 59, 61 médaillon, 62/63, 78, 118/119 haut, 158/159,
160, 173, 205.
ICN: 1, 2, 4/5, 8/9, 22, 24, 28/29, 32/33, 35, 36/37, 41, 44/45, 48/49, 56/57, 60, 60/61, 72/73, 74, 88, 110,
116/117, 118 bas, 118/119 fond, 185, 189, 193 haut, 218/219, 222/223.
Popperfoto: 86.
Renault: 150/151.
Sutton Images: 134/135, 172, 190, 197, 203, 204, 209, 220, 220/221 fond, 224.
Sygma: Gianni Giansanti 14 médaillon, 14/15, 18, 19, 25 haut, 34, 39, 40, 51, 52/53, 54 fond et médaillon,
82, 87, 106, 107, 111, 154, 157, 167, 179, 215, 216, 221; Franco Origlia 42, 70, 82.
Zoom: 16/17, 23, 47, 50, 68/69, 71, 75, 76/77, 80/81, 83, 84/85, 89, 90, 156, 162, 164/165, 166, 194/195,
196, 206/207, 208, 211.

 IMPRIMÉ AU CANADA